Sólo un año

GAYLE FORMAN

Sólo un año

Traducción de Efrén del Valle

B DE BLOK

Barcelona • Madrid • Bogotá • Buenos Aires • Caracas • México D.F.
Miami • Montevideo • Santiago de Chile

Título original: *Just One Year*
Traducción: Efrén del Valle
1.ª edición: marzo 2014

© 2013, Gayle Forman
© Ediciones B, S. A., 2014
   para el sello B de Blok
   Consell de Cent 425-427 - 08009 Barcelona (España)
   www.edicionesb.com

Printed in Spain
ISBN: 978-84-15579-32-8
Depósito legal: B. 1.857-2014

Impreso por QP PRINT

A Marjorie, Tamara y Libba

Redoblemos el trabajo y el afán, y arderá el fuego y hervirá el caldero…

Cuando estaba en palacio vivía en mejor sitio.
Pero el viajero ha de amoldarse.

De *Como gustéis*, WILLIAM SHAKESPEARE

Primera parte

UN AÑO

1

Agosto, París

Es el sueño de siempre: estoy en un avión, sobrevolando las nubes. Se inicia el descenso y siento un pánico repentino porque sé que me hallo en el avión equivocado, viajando al lugar equivocado. Nunca está claro dónde aterrizo —en una zona de guerra, en mitad de una epidemia, en otro siglo—, tan solo que es un lugar en el que no debería estar. A veces pregunto a la persona del asiento contiguo adónde vamos, pero nunca soy capaz de ver un rostro, nunca soy capaz de oír una respuesta. Desorientado y sudoroso, me despiertan el chirrido del tren de aterrizaje y el eco de los latidos de mi corazón. Normalmente me lleva unos instantes ubicarme, saber dónde estoy —un piso en Praga, una pensión en El Cairo—, pero, aun sabiéndolo, la sensación de hallarme extraviado perdura.

Creo que ahora estoy teniendo el sueño. Como siempre, levanto la portezuela para admirar las nubes. Noto los bandazos hidráulicos de los motores, el impulso descendente, la presión en los oídos y el preludio del pánico. Me vuelvo hacia la persona sin rostro sentada a mi lado, pero esta vez tengo la sensación de que no es un extraño. Es alguien a quien conozco, alguien con quien viajo, y eso me infunde un alivio sumamente intenso. No es posible que ambos nos hayamos equivocado de avión.

—¿Sabes adónde vamos? —pregunto. Me acerco más. Por

13

fin, estoy a punto de ver una cara, a punto de obtener una respuesta, a punto de descubrir cuál es mi destino.

Y entonces oigo sirenas.

La primera vez que reparé en las sirenas fue en Dubrovnik. Viajaba con un chico al que había conocido en Albania y de pronto oímos pasar una. Sonaba como las de las películas de acción estadounidenses, y aquel chico comentó que cada país tenía un tono propio. «Resulta útil, porque si olvidas dónde estás, siempre puedes cerrar los ojos y esperar a que te lo digan las sirenas», me contó. Por aquel entonces llevaba ya un año fuera y había tardado unos minutos en evocar el sonido de las sirenas en mi país. Eran casi musicales, un *la-la-la-la* ascendente, como si alguien tarareara distraída pero alegremente.

Esta sirena no es así. Es monótona, un *niii-niii-niii*, como un balido de ovejas eléctricas. Su sonido no se intensifica ni se atenúa al aproximarse o alejarse; es tan solo un muro de gemidos. Por más que lo intente, no logro ubicar esta sirena. No tengo ni idea de dónde estoy.

Solo sé que no estoy en casa.

Abro los párpados. Una luz intensa lo inunda todo desde lo alto, pero también desde mis ojos: son diminutas explosiones, pinchazos, que duelen una barbaridad. Vuelvo a cerrarlos.

Kai. El chico con el que viajé de Tirana a Dubrovnik se llamaba Kai. Bebimos una suave pilsner croata en las murallas de la ciudad y después nos reímos mientras meábamos en el Adriático. Se llamaba Kai y era de Finlandia.

Las sirenas suenan con estridencia, pero todavía no sé dónde estoy.

Las sirenas cesan. Oigo una puerta abriéndose y noto agua en la piel, un cambio en mi cuerpo. Creo que es mejor mantener los ojos cerrados. No quiero ser testigo de nada de esto.

Pero entonces me abren los ojos a la fuerza y veo otra luz, penetrante y dolorosa, como aquella vez que contemplé demasiado tiempo un eclipse solar. Saba me advirtió que no lo hiciera, pero es imposible ignorar ciertas cosas. Después tuve dolor de cabeza durante varias horas. Migraña de eclipse, así la denominaron en las noticias. Le ocurrió a mucha gente por mirar el sol. Eso también lo sé. Pero todavía no sé dónde estoy.

Ahora se oyen voces, como si emanaran de un túnel. Las oigo, pero no distingo lo que dicen.

—*Comment vous appelez-vous?* —pregunta alguien en un idioma que no es el mío pero que, por alguna razón, comprendo. «¿Cómo te llamas?»

—¿Puede decirnos su nombre? —preguntan de nuevo en otro idioma que tampoco es el mío.

—Willem de Ruiter.

Esta vez es mi voz. Mi nombre.

—Bien.

Es una voz de hombre, que vuelve a emplear el otro idioma. Es francés. Dice que he pronunciado bien mi nombre y me pregunto cómo lo sabe. Por un segundo pienso que quien habla es Bram, pero, a pesar de mi confusión, me doy cuenta de que no es posible. Bram nunca estudió francés.

—Willem, ahora vamos a incorporarle.

La parte alta de la cama —creo que estoy tumbado en una— se inclina hacia delante. Trato de abrir los ojos una vez más. Todo está borroso, pero alcanzo a distinguir unas luces brillantes en el techo, paredes rasguñadas y una mesa de metal.

—Willem, está usted en un hospital —dice el hombre.

Sí, he obviado esa parte. Ello explicaría también por qué llevo la camisa cubierta de sangre, e incluso la propia camisa, que no es mía. Es gris y en ella pone SOS en letras rojas. ¿Qué significa SOS? ¿Quién es su propietario? ¿Y de quién es la sangre?

Miro alrededor. Veo al hombre —¿un médico?— con bata blanca y a la enfermera situada junto a él, que me tiende una compresa fría. Me toco la mejilla. La piel está caliente e hinchada. En el dedo tengo más sangre. Eso responde a una pregunta.

—Está usted en París —dice el médico—. ¿Sabe dónde está París?

Estoy comiendo tagine en un restaurante marroquí de Montorgueil con Yael y Bram. Estoy pasando el sombrero después de una actuación con los acróbatas alemanes en Montmartre. Estoy bailando como un loco, sudoroso, en un concierto de Mollier Than Molly en el Divan du Monde con Céline. Y estoy corriendo, corriendo por el mercado de Barbès cogido de la mano de una chica.

¿Qué chica?

—En Francia —acierto a responder. Noto la lengua gruesa como un calcetín de lana.

—¿Recuerda qué sucedió? —pregunta el médico.

Oigo botas y noto sabor a sangre, que me ha formado un charco en la boca. No sé qué hacer con ella, así que trago.

—Por lo visto, participó usted en una pelea —prosigue el doctor—. Tendrá que dar parte a la policía. Pero primero necesitará puntos de sutura en la cara, y debemos realizarle un escáner cerebral para asegurarnos de que no se aprecia ningún hematoma subdural. ¿Ha venido aquí de vacaciones?

Cabello oscuro. Aliento suave. Una sensación persistente de que he extraviado algo de valor. Me llevo la mano al bolsillo.

—¿Dónde están mis cosas? —pregunto.

—Encontraron su bolsa y el contenido desperdigado en el lugar de los hechos. Su pasaporte seguía allí, al igual que su cartera.

Me la entrega. Miro en la billetera. Contiene más de cien euros, aunque creo recordar que había mucho más. Mi carné de identidad ha desaparecido.

—También encontramos esto. —Me muestra un pequeño libro de color negro—. Lleva bastante dinero en la cartera, ¿no? No parece un robo, a menos que consiguiera disuadir a sus atacantes.

El doctor frunce el ceño, imagino que por la aparente estupidez de semejante maniobra.

«¿Eso hice?» En el cielo se divisa una niebla baja, como la calina que veía elevarse por la mañana desde los canales y que quería disipar. Siempre tenía frío. Yael decía que, si bien parecía holandés, su sangre mediterránea corría por mis venas. Recuerdo aquello, y también la manta rasposa de lana con la que me envolvía para que entrara en calor. Y, aunque ahora sé dónde estoy, ignoro por qué me encuentro aquí. No debería estar en París. Debería estar en Holanda. Tal vez ello explique esa exasperación.

«Disiparé. Disiparé la niebla». Pero es tan testaruda como la holandesa. O tal vez mi deseo es tan tenue como el sol invernal. Sea como fuere, no desaparece.

—¿Sabe qué día es hoy? —pregunta el médico.

Intento pensar, pero las fechas flotan como hojas en una canaleta. Sin embargo, no es nada nuevo. Sé que nunca acierto la fecha. No tengo por qué hacerlo. Sacudo la cabeza.

—¿Sabe en qué mes estamos?

«Augustus. Août. No, en inglés.»

—Agosto.

—¿Y el día de la semana?

«Donderdag», dice algo en mi cabeza. Jueves.

—¿Jueves? —aventuro.

—Viernes —corrige el doctor, y la exasperación se intensifica. A lo mejor debía estar en algún sitio el viernes.

Suena el intercomunicador. El doctor lo coge, habla durante un minuto, cuelga y se vuelve hacia mí.

—Radiología estará aquí en media hora.

Después empieza a hablarme de *commotions cérébrales* o contusiones, de pérdida transitoria de memoria, de tomografías y de escáneres, y nada de ello tiene demasiado sentido.

—¿Podemos llamar a alguien? —pregunta, y creo que sí podemos, pero, por más que lo intente, no se me ocurre a quién. Bram y Saba se han ido, y es posible que Yael también. ¿Quién más hay?

Las náuseas azotan con rapidez, como una ola a la que hubiera estado dándole la espalda, y después me vomito encima de la camisa ensangrentada. La enfermera trae la palangana con premura, pero no la suficiente, y me ofrece una toalla para limpiarme. El doctor está mencionando algo acerca de las náuseas y las contusiones. Se me inundan los ojos de lágrimas. Nunca aprendí a vomitar sin llorar.

La enfermera me limpia la cara con otra toalla.

—Me he dejado un poco —dice con una tierna sonrisa—. Aquí, en el reloj.

Llevo un reloj de pulsera brillante y dorado. No es mío. Por un fugaz instante lo veo en la muñeca de una chica. Recorro la mano hasta llegar a un brazo esbelto, un hombro fuerte y un cuello de cisne. Cuando llego a la cara, intuyo que estará vacía, como las del sueño, pero no lo está.

Cabello negro. Piel blanca. Ojos cálidos.

Miro de nuevo el reloj. El cristal está quebrado, pero todavía funciona. Marca las nueve. Empiezo a sospechar qué es lo que he olvidado.

Trato de incorporarme y pierdo el mundo de vista.

El doctor vuelve a acostarme en la cama poniéndome una mano en el hombro.

—Se siente agitado porque está confuso. Todo esto es temporal, pero tendremos que realizar el escáner para cerciorarnos de que no hay hemorragia en el cerebro. Mientras esperamos, podemos curarle las laceraciones faciales. Primero le daré algo para adormecerle la zona.

La enfermera me restriega algo naranja por la cara.

—No se preocupe. Esto no mancha.

No mancha; tan solo escuece.

—Creo que debería irme —digo cuando han terminado con las suturas.

El médico se echa a reír y por un segundo veo piel blanca cubierta de polvo del mismo color, pero más cálida debajo. Una habitación blanca. Una palpitación en la mejilla.

—Me espera una persona.

No sé quién, pero sé que es cierto.

—¿Quién le espera? —pregunta el médico.

—No me acuerdo —reconozco.

—Señor de Ruiter, debe someterse usted a un escáner cerebral y después me gustaría ponerlo en observación hasta que recupere la claridad mental, hasta que sepa quién está esperándole.

Cuello. Piel. Labios. La mano frágil y a un tiempo fuerte de ella sobre mi corazón. Me llevo la mano al pecho, por encima de la bata verde quirófano que me dio la enfermera después de que me cortaran la camiseta ensangrentada para buscar costillas rotas. Y el nombre está casi allí.

Acuden unos enfermeros para llevarme a otra planta. Me introducen en un tubo de metal que repiquetea en torno a mi cabeza. Tal vez sea a causa del ruido, pero dentro del tubo la niebla empieza a disiparse. Sin embargo, no hay sol detrás, tan solo un cielo mortecino y plomizo cuando se unen los fragmentos.

—¡Tengo que irme ahora mismo! —grito desde el tubo.

Se hace el silencio y después se oye el clic del intercomunicador.

—Por favor, no se mueva —dice una voz incorpórea en francés.

Vuelven a llevarme al piso de abajo y espero. Son más de las doce.

Sigo esperando. Recuerdo los hospitales; recuerdo exactamente por qué los odio.

Espero aún más. Soy adrenalina sumida en la inercia: un coche rápido atrapado en un atasco. Saco una moneda del bolsillo y obro el truco que Saba me enseñó de pequeño. Funciona. Me calmo y, al hacerlo, empiezan a encajar más piezas. Vinimos juntos a París. Estamos juntos en París. Noto su mano suave en el costado, ella montada en la parte trasera de la bicicleta. Noto su mano no tan suave en el costado cuando nos abrazábamos fuerte. Ayer noche. En una habitación blanca.

La habitación blanca. Está en la habitación blanca esperándome. Miro alrededor. Las habitaciones de hospital nunca son blancas como la gente cree. Son beige, marrón grisáceo, malva: tonos neutros que pretenden reconfortar un corazón roto. Lo que yo daría por estar en una habitación blanca ahora mismo.

Más tarde vuelve a entrar el doctor. Sonríe.

—¡Buenas noticias! No hay hemorragia subdural, solo es una contusión. ¿Qué tal su memoria?

—Mejor.

—Bien. Esperaremos a la policía. Le tomarán declaración y entonces podré dejarle marchar con su amiga. Pero debe tomárselo con mucha calma. Le daré una hoja de instrucciones para sus cuidados, pero está en francés. Tal vez alguien pueda traducirla o buscar una en inglés u holandés en Internet.

—*Ça ne sera pas nécessaire* —respondo.

—Ah, ¿habla usted francés? —pregunta en su idioma.

Asiento.

—Vuelvo a recordarlo.

—Bien. Recordará también todo lo demás.

—Entonces, ¿puedo irme?

—¡Debería venir a buscarle alguien! Y tiene que dar parte a la Policía.

La Policía. Tardarán horas. Y no tendré nada que decirles en realidad. Vuelvo a sacar la moneda y juego con ella sobre el nudillo.

—¡La Policía no!

El médico sigue la moneda con la vista mientras da vueltas sobre la mano.

—¿Tiene problemas con la Policía? —pregunta.

—No, no se trata de eso. Tengo que buscar a una persona —digo. La moneda cae al suelo. El médico la recoge y me la devuelve.

—¿Buscar a quién?

Tal vez haya sido la informalidad con la que lo ha preguntado; mi cerebro magullado no tiene tiempo para procesarlo antes de escupirlo. O puede que la niebla esté disipándose y dejando un terrible dolor de cabeza. Pero ahí está, un nombre, en mis labios, como si lo pronunciara constantemente.

—Lulú.

—Ah, Lulú. *Très bien!* —El médico junta las manos—. Llamemos a esa tal Lulú y que venga a recogerle. O podemos traérsela nosotros.

Explicarle que desconozco el paradero de Lulú sería excesivo. Solo sé que está en la habitación blanca, que está esperándome y que lo ha hecho durante mucho tiempo. Y tengo una sensación terrible, y no solo porque me encuentro en un hospital donde las cosas suelen extraviarse, sino por algo más.

—Tengo que irme —insisto—. Si no me voy ahora, quizá sea demasiado tarde.

El médico consulta el reloj de pared.

—Todavía no son las dos. No es tarde en absoluto.

—Podría serlo para mí.

«Podría serlo.» Como si lo que fuera a ocurrir no hubiese ocurrido ya.

El doctor me observa durante un largo minuto y después sacude la cabeza.

—Es mejor esperar. En unas horas recobrará la memoria y la encontrará.

—¡No dispongo de unas horas!

Me pregunto si puede retenerme aquí en contra de mi voluntad. En este momento me pregunto incluso si poseo voluntad. Pero algo me empuja a través de la neblina y el dolor.

—Tengo que irme —reitero—. Ahora.

El médico me mira y suspira.

—*D'accord.*

Me entrega un fajo de papeles y me indica que debo guardar reposo dos días y limpiarme la herida a diario y que los puntos se desharán. Después me ofrece una pequeña tarjeta.

—Este es el inspector de Policía. Le diré que le llamará mañana.

Asiento.

—¿Tiene a donde ir? —pregunta.

El club de Céline. Recito la dirección. La parada de metro. Lo recuerdo fácilmente. Soy capaz de encontrarlo.

—De acuerdo —dice el médico—. Diríjase a la oficina de facturación a tramitar el alta y podrá marcharse.

—Gracias.

Me toca el hombro y me recuerda que me tome las cosas con calma.

—Lamento que París le haya ocasionado este infortunio.

Me vuelvo hacia él. Lleva una chapa con su nombre y ya no tengo la vista nublada, así que puedo distinguirlo. DOCTEUR ROBINET, dice. Y aunque he recuperado la visión, el día sigue siendo turbio, pero tengo una sensación, una vaga sensación. No es felicidad, sino solidez, como si pisara tierra firme tras haber pasado demasiado tiempo en el mar. Me dice que, sea quien sea esa Lulú, algo sucedió entre nosotros en París, algo que era lo opuesto al infortunio.

2

En la oficina de facturación relleno varios miles de formularios. Hay problemas cuando preguntan por una dirección. No la tengo. No la he tenido en mucho tiempo. Pero no me dejarán ir hasta que les proporcione una. Al principio se me ocurre facilitarles la de Marjolein, la abogada de mi familia. Ella es quien gestiona todo el correo importante de Yael y con quien supuestamente debía reunirme hoy —¿o era mañana? ¿o ayer?— en Ámsterdam, pero lo he recordado demasiado tarde. Sin embargo, si le remiten una factura de hospital a Marjolein, la noticia llegará instantáneamente a Yael, y no quiero explicárselo. Tampoco quiero no explicárselo en el caso más probable de que nunca haga preguntas al respecto.

—¿Puedo darle la dirección de un amigo? —pregunto a la empleada.

—Me da igual si me da la dirección de la Reina de Inglaterra mientras tenga un lugar donde enviar la factura —replica.

Puedo facilitarle la dirección de Broodje en Utrecht.

—Un momento —digo.

—Tómese su tiempo, *mon chéri*.

Me apoyo en el mostrador y hojeo mi agenda, repasando el último año de amistades acumuladas. Hay innumerables nombres de personas a las que no recuerdo, nombres que no recordaba incluso antes de recibir este desagradable golpe en la cabeza. Hay un mensaje: «Recuerda las cuevas de Malata.» Sé cuáles son esas cuevas, y también quién es la chica que lo escribió, pero no el motivo por el que debería tenerlas presentes.

Encuentro la dirección de Robert-Jan al principio. Se la leo a la empleada y, al cerrar la agenda, cae abierta por una de las últimas páginas. Veo una caligrafía que desconozco, y en un primer momento pienso que debo de tener la vista muy trastocada, pero después me doy cuenta de que sencillamente no es inglés ni holandés, sino chino.

Por un segundo no me encuentro en este hospital, sino en un barco, con ella, y está escribiendo en mi libreta. Lo recuerdo. Hablaba chino. Me lo demostró. Paso la página y aquí está.

No hay traducción junto a ese carácter, pero, por alguna razón, sé que significa.

«Doble felicidad.»

Veo el carácter en la libreta. Y lo veo más grande en un cartel. Doble felicidad. ¿Será ahí donde está ella?

—¿Es posible que haya un restaurante o una tienda china cerca de aquí? —pregunto a la empleada.

Ella se rasca la cabeza con un lápiz y consulta a un compañero. Ambos empiezan a discutir sobre el mejor lugar para comer.

—No —le explico—. No es para comer. Estoy buscando esto —y les muestro el carácter que aparece en la libreta.

Se miran el uno al otro y se encogen de hombros.

—¿Hay barrio chino aquí? —pregunto.

—En el decimotercer *arrondissement* —responde uno de ellos.

—¿Dónde está eso?

—En la orilla izquierda.

—¿Es posible que una ambulancia me trasladara desde allí? —pregunto.

—No, por supuesto que no —responde la empleada.

—Hay uno más pequeño en Belleville —tercia el otro.

—Se encuentra a unos pocos kilómetros de aquí. Está cerca —explica la empleada, y me indica cómo llegar hasta el metro. Me echo la mochila a la espalda y me voy.

No llego muy lejos. Parece que la mochila esté llena de cemento blando. Cuando salí de Holanda hace dos años llevaba una bolsa grande con muchas más cosas, pero me la robaron y nunca la sustituí, de modo que me las apañé con una mochila más pequeña. Con el tiempo han ido siendo cada vez más reducidas, porque en realidad las personas necesitamos muy pocas cosas. Últimamente solo llevo unas cuantas mudas, libros y artículos de baño, pero ahora incluso eso me parece demasiado. Cuando bajo la escalera del metro, la mochila rebota a cada paso y noto un dolor punzante en mi interior.

—Amoratado, no roto —dijo el doctor Robinet antes de irme. Pensaba que hablaba de mi espíritu, pero se refería a mis costillas.

En el andén del metro saco todo el contenido de la mochila salvo el pasaporte, la cartera, la agenda y el cepillo de dientes. Cuando llega el tren, dejo el resto en el andén. Ahora soy más ligero, pero no resulta más sencillo.

El barrio chino de Belleville comienza justo después de la parada de metro. Intento cotejar los carteles con el carácter que aparece en la libreta, pero hay muchos, y las letras de neón no se asemejan en nada a esas suaves líneas de tinta que ella esbozó. Pregunto por la doble felicidad. No tengo ni idea de si estoy preguntando por un lugar, por una persona, por un plato o por un estado mental. Al parecer, los chinos me tienen miedo y nadie responde, y yo empiezo a preguntarme si tal vez no hablo francés, si tan solo imagino que lo hago. Finalmente, un anciano de manos velludas que empuña un bastón ornamentado me mira y dice: «Está usted muy lejos de la doble felicidad.»

Estoy a punto de preguntarle a qué se refiere con eso, dónde está, y entonces veo mi reflejo en un escaparate: mi ojo hinchado y amoratado y el vendaje de la cara empapado de sangre. Entiendo que no habla de un lugar.

Pero entonces atisbo unas letras que me resultan familiares.

No es el carácter de la doble felicidad, sino el SOS de la misteriosa camiseta que llevaba antes en el hospital. Ahora lo veo en otra camiseta, que luce un chico de mi edad con el cabello alborotado y el brazo lleno de pulseras de metal. Tal vez tenga algún tipo de conexión con la doble felicidad.

Decido salir detrás de él y le doy alcance a media manzana de distancia. Le toco el hombro, se vuelve y da un paso atrás. Señalo su camiseta. Estoy a punto de preguntarle qué significa, pero me dice en francés:

—¿Qué te ha pasado?

—Unos *skinheads* —respondo en inglés. Se llaman igual en todas partes. Le explico en francés que antes llevaba una camiseta como aquella.

—Ah —dice—. Los racistas odian Sous ou Sur. Son muy antifascistas.

Asiento, aunque ahora recuerdo por qué me pegaron, y estoy bastante seguro de que tenía poco que ver con mi camiseta.

—¿Puedes ayudarme? —pregunto.

—Creo que necesitas un médico, amigo.

Niego con la cabeza. No es eso lo que necesito.

—¿Qué quieres? —me dice.

—Estoy buscando un lugar con un cartel como este.

—¿Qué es?

—La doble felicidad.

—¿Y eso qué es?

—No estoy seguro.

—¿Qué estás buscando?

—Puede que sea una tienda, un restaurante o una discoteca. La verdad es que no lo sé.

—No sabes una mierda, ¿no?

—Sé que no sé una mierda. Menos es nada. —Señalo el chichón que llevo en la cabeza—. Las cosas se complicaron.

El muchacho observa el bulto.

—Deberían echarte un vistazo.

—Ya lo han hecho.

Señalo el vendaje que me cubre los puntos de la mejilla.

—¿No deberías estar descansando?

—Más tarde, cuando encuentre la doble felicidad.

—¿Por qué es tan importante esa doble felicidad?

Entonces la veo. No solo la veo, sino que la siento. Noto su suave aliento en la mejilla mientras me susurraba algo justo cuando me quedaba dormido ayer noche. No oí lo que dijo. Solo recuerdo que era feliz en aquella habitación blanca.

—Lulú —digo.

—Ah, una chica. Yo voy a ver a la mía. —Saca el teléfono y escribe algo—. Pero puede esperar; ¡siempre lo hacen!

Me dedica una sonrisa y muestra una dentadura desafiantemente torcida.

Tiene razón. Esperan. Incluso cuando no sabía que lo harían, incluso cuando había estado ausente durante mucho tiempo, las chicas esperaban. Nunca me importó una cosa ni la otra.

Echamos a andar por las angostas calles. El aire huele a órganos guisados. Tengo la sensación de que debo correr para seguirle el paso, y el esfuerzo me remueve otra vez el estómago.

—No tienes buena pinta, amigo —me dice justo cuando regurgito un poco de bilis. Parece levemente alarmado—. ¿Seguro que no quieres que llame a un médico?

Sacudo la cabeza y me limpio la boca y los ojos.

—De acuerdo. Creo que debería llevarte a conocer a mi chica, Toshi. Trabaja en esta zona, así que tal vez sepa dónde está esa doble felicidad.

Lo sigo unas cuantas calles más. Continúo buscando el cartel de la doble felicidad, pero ahora resulta aún más difícil porque hay un poco de vómito en la agenda y la tinta se ha corrido. Además, aparecen unos puntos negros ante mis ojos, lo cual me impide ver dónde está realmente la calzada.

Cuando por fin nos detenemos casi lloro de alivio, porque hemos encontrado el lugar de la doble felicidad. Todo me resulta familiar. La puerta de acero, los andamios rojos, los retratos distorsionados e incluso el nombre desvaído de la fachada, Ganterie, por la fábrica de guantes que debió de ser antaño. Es aquí.

Toshi sale a la puerta; es una chica negra diminuta con rastas gruesas, y me dan ganas de abrazarla por llevarme a la habitación blanca. Quiero ir directo allí y tumbarme junto a Lulú para que todo vuelva a ser como era.

Intento decirlo, pero no puedo. Ni siquiera consigo mover las piernas, porque el suelo se ha tornado líquido y ondeante. Toshi y mi samaritano, cuyo nombre es Pierre, discuten en francés. Ella quiere llamar a la Policía, y Pierre dice que tienen que ayudarme a encontrar la doble felicidad.

«No pasa nada —quiero decirle—. Ya la he encontrado.» Este es el lugar. Pero no consigo formular las palabras.

—Lulú —acierto a decir—. ¿Está aquí?

Unas cuantas personas se arremolinan en el umbral.

—Lulú —insisto—. Dejé a Lulú aquí.

—¿Aquí? —pregunta Pierre. Se vuelve hacia Toshi y señala primero su cabeza y después la mía.

No ceso de repetir su nombre: «Lulú, Lulú.» Y entonces paro, pero su nombre continúa, como en una sala insonorizada, como si mis súplicas penetraran en las entrañas del edificio y fueran a traerla de vuelta desde allá donde haya ido.

Cuando la multitud se dispersa, pienso que realmente ha funcionado. Que mis palabras la han desenterrado, que me la han devuelto. Que la única vez que quise que una chica esperara, lo hizo.

Entre el gentío asoma una muchacha.

—*Oui, Lulu, c'est moi* —anuncia con delicadeza.

Pero no es Lulú. Lulú era esbelta y tenía el pelo negro y los ojos igual de oscuros. Esta chica es una muñeca de porcelana menuda, y es rubia. No es Lulú. Solo entonces recuerdo que Lulú tampoco es Lulú. Fue así como yo la bauticé. Desconozco su verdadero nombre.

La multitud me observa. Me oigo farfullar, decir que necesito encontrar a Lulú. A la otra Lulú. La dejé en la habitación blanca.

Me miran con extrañeza y entonces Toshi saca su teléfono móvil. La oigo hablar; está pidiendo una ambulancia. Tardo un minuto en darme cuenta de que es para mí.

—No —le digo—. Ya he estado en el hospital.

—No me habría gustado verte antes —replica la Lulú equivocada—. ¿Has tenido un accidente?

—Le dieron una paliza unos *skinheads* —le cuenta Pierre.

Pero la Lulú equivocada tiene razón. Accidente: cómo la encontré. Accidente: cómo la perdí. Hay que reconocerle al universo su mérito por cómo equipara las cosas.

3

Me subo a un taxi y voy al club de Céline. Me gasto lo que me quedaba en la carrera, pero no importa. Solo necesito lo suficiente para regresar a Ámsterdam, y ya tengo un billete de tren. Durante el breve trayecto voy cabeceando en el asiento trasero, y cuando nos detenemos frente a La Ruelle recuerdo que dejamos allí la maleta de Lulú.

El bar está oscuro y vacío, pero han dejado la puerta abierta. Bajo renqueante al despacho de Céline. Allí dentro también está oscuro y solo el brillo grisáceo del monitor de ordenador ilumina su rostro. Al principio, cuando levanta la mirada y me ve, esboza esa sonrisa suya, como un león despertándose de la siesta revitalizado pero hambriento. Entonces enciendo la luz.

—*Mon dieu!* —exclama—. ¿Qué te ha hecho esa chica?

—¿Lulú ha estado aquí?

Céline pone los ojos en blanco.

—Sí, ayer. Contigo.

—¿Y ha vuelto?

—¿Qué te ha pasado en la cara?

—¿Dónde está la maleta?

—En el almacén, donde la dejamos. ¿Qué te ha ocurrido?

—Dame las llaves.

Céline entrecierra los ojos y me lanza una de sus miradas, pero abre un cajón y me tira las llaves. Abro la puerta y allí está la maleta. No ha vuelto a buscarla, y por un momento me siento feliz, porque eso significa que todavía debe de estar aquí. Todavía está en París, buscándome.

Pero entonces recuerdo lo que dijo la mujer de Ganterie, la que bajó la escalera cuando perdí la vista por completo y Toshi amenazó con pedir una ambulancia pero yo supliqué que llamaran a un taxi. Esa mujer dijo que había visto a una chica salir corriendo por la puerta cuando abrió aquella mañana. «Le dije que volviera, pero se escapó», me contó en francés.

Lulú no hablaba francés. Y no conocía París. Ayer noche no sabía llegar a la estación de trenes. Tampoco sabía llegar al club. Es imposible que sepa dónde está su maleta. Es imposible que sepa dónde estoy, aunque quisiera encontrarme.

Cojo la maleta y busco alguna etiqueta, pero no encuentro nada: ni etiqueta ni pegatina de la zona de recogida de equipajes del aeropuerto. Intento abrirla, pero es imposible. Me calmo un segundo y arranco el endeble candado. En cuanto abro la bolsa, algo me resulta familiar. No es el contenido —ropa y recuerdos que no he visto jamás—, sino el olor. Cojo una camiseta pulcramente doblada, me la acerco a la cara e inhalo.

—¿Qué estás haciendo? —pregunta Céline, que aparece de repente en el umbral.

Le cierro la puerta en las narices y sigo hurgando en las pertenencias de Lulú. Hay recuerdos, entre ellos un reloj de cuerda como el que vimos en un puesto junto al Sena, algunos adaptadores de enchufe, cargadores y artículos de baño, pero nada que me lleve hasta ella. Hay una hoja de papel en una bolsa de plástico y la saco esperanzado, pero solo contiene una suerte de inventario.

Embutido debajo de un jersey hay un diario de viaje. Paso el dedo por la portada. Hace más de un año viajaba en un tren rumbo a Varsovia cuando me robaron la mochila. Llevaba conmigo el pasaporte, el dinero y la agenda, así que lo único que se agenciaron los desaprensivos fue una mochila medio rota con un montón de ropa sucia, una vieja cámara y un diario en su interior. Probablemente lo tiraron todo cuando repararon en que no había nada que pudieran vender. Tal vez sacaron veinte euros por la cámara, aunque para mí valía mucho más. En cuanto al diario, no tenía ningún valor; recé por que se hubieran deshecho de él. No podía soportar la idea de que alguien lo leyera. Fue la única vez en los dos últimos años que barajé la posibilidad de volver a casa. No lo hice. Pero cuando compré cosas nuevas no sustituí el diario.

Me pregunto qué pensaría Lulú del hecho de que leyera el suyo. Intento imaginarme cómo me habría sentido yo si hubiese leído mis duras peroratas sobre Bram y Yael en el que me sustrajeron. Cuando lo hago, no me invade el habitual sonrojo, la vergüenza o el disgusto, sino algo apacible, algo que reconozco. Algo rayano en el sosiego.

Abro su diario y hojeo las páginas, a sabiendas de que no debería hacerlo. Pero estoy buscando la manera de establecer contacto, aunque tal vez solo esté buscando más cosas sobre ella. Es una manera distinta de respirarla.

Pero no encuentro su aroma. Ni un solo nombre o dirección: ni la de ella ni la de ningún conocido suyo. Solo hay algunas entradas difusas, nada revelador, nada sobre Lulú.

Salto al final del diario. El lomo es rígido y cruje. Detrás de la contraportada hay una serie de postales. Busco direcciones, pero están en blanco.

Cojo un bolígrafo de una estantería y en cada una de las postales anoto mi nombre, número de teléfono y correo electrónico y, por si acaso, la dirección de Broodje. Incluyo información de contacto en Roma, Viena, Praga, Edimburgo y Londres. Mientras lo hago, me pregunto por qué. «Sigue en contacto.» Es como un mantra cuando estás en la carretera, pero raramente sucede. Conoces a gente, vuestros caminos se separan y en ocasiones se cruzan de nuevo, pero la mayoría de las veces no.

La última postal es de Stratford-upon-Avon, y en ella aparece William Shakespeare. Le había dicho que obviara *Hamlet* y viniera a vernos. Le había dicho que la noche era demasiado bonita para una tragedia. Debería haber sido más listo y no decir semejante cosa.

Le doy la vuelta a Shakespeare. «Por favor», empiezo. Estoy a punto de escribir algo más: Por favor, ponte en contacto. Por favor, deja que me explique. Por favor, dime quién eres. Pero me palpita la mejilla y vuelvo a tener la vista desenfocada; me siento exhausto y apesadumbrado por el arrepentimiento. Así que apostillo el por favor con ese remordimiento. «Lo lamento», escribo.

Guardo todas las postales en la bolsa y después en el diario. Cierro la cremallera y vuelvo a dejarla en la esquina. Cierro la puerta.

4

La última vez que estuve en el piso de Céline, hace más de un año, me lanzó un jarrón de flores marchitas a la cabeza. Me había alojado con ella más o menos durante un mes y le dije que había llegado el momento de marcharme. El clima era muy caluroso para aquella época del año y yo me había quedado mucho tiempo para tratarse de mí. Pero luego empezó a hacer frío y noté cómo volvía la claustrofobia. Céline me acusó de ser un novio solo para lo bueno, pero en realidad jamás había sido su novio y tampoco le había prometido que me quedaría. Hubo gritos e insultos y después el jarrón surcando el aire, pero erró el blanco y se estrelló contra la pared azul descolorida. Le ofrecí ayuda con el estropicio antes de irme, pero la rehusó.

Creo que ninguno de los dos esperaba que volviera a poner un pie allí ni que volviéramos a vernos. Pero unos meses después tropecé con ella en La Ruelle. Recientemente la habían nombrado directora de contrataciones y pareció alegrarse de verme. Me invitó a copas toda la noche y me pidió que la acompañara a su oficina para ver el elenco de grupos que había programado para los meses siguientes. Fui con ella, si bien estaba bastante convencido de que el calendario no era lo que quería enseñarme y, ni que decir tiene, en cuanto entramos en el despacho, cerró la puerta con pestillo y nunca encendió el ordenador.

Entre nosotros había el acuerdo tácito de que jamás volvería a su piso. De todos modos, tenía dónde alojarme, y me iba a la mañana siguiente. Después la veía siempre que pasaba por París. Siempre en el club, en el despacho, con la puerta cerrada.

Así que creo que ambos nos sorprendemos cuando le pregunto si puedo quedarme en su casa.

—¿En serio? ¿Quieres?

—Si no te importa... Puedes darme las llaves y nos vemos más tarde. Sé que tienes trabajo. Me marcharé mañana.

—Quédate el tiempo que quieras. Déjame ir contigo. Puedo ayudarte.

Mis dedos tocan distraídamente el reloj, que todavía llevo en la muñeca.

—No es necesario. Solo necesito descansar.

Céline ve el reloj.

—¿Es de ella? —pregunta.

Paso el dedo por el cristal resquebrajado.

—¿Vas a quedártelo? —pregunta con aspereza.

Asiento. Céline empieza a protestar, pero levanto la mano para callarla. Apenas tengo energía para mantenerme en pie, pero voy a conservar este reloj.

Céline pone los ojos en blanco, pero apaga el ordenador y me ayuda a subir las escaleras. Le dice a voces a Modou, que rebusca algo detrás de la barra, que va a llevarme a casa esta noche.

—¿Qué le ha ocurrido a tu amigo? —pregunta Modou al incorporarse.

Me vuelvo hacia él. La luz es tenue y Céline me rodea con el brazo para que pueda apoyarme. A duras penas le veo.

—Dile que lo siento. Su maleta está en el armario. Si vuelve, dile eso.

Quiero decirle que se cerciore de que lee las postales, pero Céline está tirando de mí para que salgamos. Esperaba que afuera estuviera oscuro, pero no, aún hay claridad. Los días como este se prolongan durante años. Son los que quieres que duren, los que pasan volando —uno, dos, tres— en cuestión de segundos.

La mancha de agua sigue en la pared, donde impactó el jarrón. También los montones de libros, revistas, CDs y precarias torres de discos de vinilo. Las ventanas panorámicas, que nunca se molesta en cubrir, ni siquiera por la noche, están abiertas de par en par, dejando entrar la interminable, interminable luz diurna.

Céline me da un vaso de agua y por fin recurro a los analgésicos que me recetó el doctor Robinet antes de salir del hospital. Me aconsejó que los tomara antes de sentir dolor y que no los dejara hasta que remitiese. Pero tenía miedo de que hacerlo antes me embotara el cerebro que me quedaba.

Las instrucciones del frasco dicen una pastilla cada seis horas. Me tomo tres.

—Levanta las manos —me indica Céline.

Y es como ayer, cuando me hizo cambiarme de ropa y Lulú nos encontró allí, y me pareció bonito que intentara ocultar sus celos. Y entonces Modou la besó y yo tuve que disimular los míos.

No puedo levantar los brazos por encima de la cabeza, así que Céline me ayuda con la bata de hospital. Se queda mirando el pecho largo rato y sacude la cabeza.

—¿Qué?

Chasquea la lengua.

—No debería haberte hecho esto.

Me dispongo a explicarle que no fue ella quien me lo hizo, no a sabiendas, pero Céline me despacha gesticulando con la mano.

—Da igual. Ahora estás aquí. Vete al baño y lávate. Cocinaré algo.

—¿Tú?

—No te rías. Sé preparar huevos o sopa.

—No te molestes, no tengo apetito.

—Entonces te prepararé un baño.

Y eso hace. Oigo el agua correr y pienso en la lluvia, que ha cesado. Noto que empiezan a surtir efecto los fármacos y los suaves tentáculos de la somnolencia me arrastran lentamente. La cama de Céline es como un trono y me desplomo sobre ella, pensando en mi sueño del avión y en que resultó ligeramente distinto de la pesadilla habitual. Justo antes de caer dormido me viene a la mente uno de los versos —los versos de Sebastián— de *Noche de reyes*: «Si esto es soñar ¡dejadme dormir!»

Al principio pienso que estoy soñando otra vez. No es el sueño del avión, sino otro, uno agradable. Una mano me recorre la espalda y desciende cada vez más. La chica posó la mano sobre mi corazón toda la mañana mientras dormíamos en aquel suelo duro. Esta mano me acaricia la cintura y luego desciende un poco más. «Amoratado, no roto», dijo el médico. Mientras duermo, siento que recupero las fuerzas.

Mi mano encuentra su cuerpo cálido, tan suave, tan seductor. La deslizo entre sus piernas y ella gime.

—*Je savais que tu reviendrais.*

Y entonces la pesadilla comienza una vez más. Lugar equivocado. Persona equivocada. Avión equivocado. Me despierto sobresaltado y la aparto con tanta fuerza que se cae al suelo.

—¿Qué haces? —grito a Céline.

Ella se levanta, sin reparos por su desnudez bajo el brillo de la farola.

—Estás en mi cama —dice.

—Se supone que debes cuidar de mí —respondo, lo cual suena aún más patético, porque ambos sabemos que no quiero que lo haga.

—Creía estar haciéndolo —dice ella forzando una sonrisa. Se sienta al borde de la cama y da una palmada a la sábana—. Lo único que tienes que hacer es tumbarte y relajarte.

Solo llevo unos calzoncillos. ¿Cuándo me quité los vaqueros? Los veo cuidadosamente doblados en el suelo, junto con la camisa del hospital. La cojo. Mis músculos protestan. Me pongo en pie y aúllan.

—¿Qué estás haciendo? —pregunta Céline.

—Me voy —replico, jadeando de agotamiento. No estoy completamente seguro de que pueda salir de aquí, pero sé que no puedo quedarme.

—¿Ahora? Es tarde.

Parece incrédula hasta que me enfundo los vaqueros. Es un proceso meticulosamente lento y le concede tiempo para digerir que, en efecto, me marcho. Veo lo que va a suceder: una repetición de la última vez que estuve aquí. Una sarta de insultos en francés. Soy un imbécil. La he humillado.

—Te he ofrecido mi cama, mi persona, y me apartas. Literalmente.

Está riéndose, no porque sea divertido, sino porque le resulta inconcebible.

—Lo siento.

—Pero viniste tú a mí. Ayer. Y hoy otra vez. Siempre vuelves a mí.

—Solo buscaba un lugar donde dejar la maleta —le explico—. Era por Lulú.

Su mirada es distinta de la última vez, cuando me lanzó el jarrón, cuando le dije que había llegado el momento de irme. Aquello era furia. Esto es furia antes de que haya tenido tiempo de afianzarse, cruda y sangrienta. Qué estupidez fue visitar a Céline. Podríamos haber encontrado otro lugar para esa maleta.

—¿Ella? —grita Céline—. ¿Ella? Era una chica del montón. ¡No era especial! ¡Y mírate ahora! Mira cómo te ha dejado. Siempre vienes corriendo a mí, Willem. Eso significa algo.

No imaginaba que Céline fuera una de las que esperan.

—No debería haber venido aquí. No lo haré nunca más —le prometo.

Recojo el resto de mis cosas, salgo cojeando del piso y bajo la escalera. Pasa a toda velocidad un coche de Policía y las luces centellean en las calles por fin oscuras. La sirena aúlla *niii-niii*.

París.

No es mi casa.

Necesito llegar a casa.

5

Septiembre, Ámsterdam

La oficina de Marjolein se encuentra en una estrecha casa en los canales, frente al Brouwersgracht. El interior es blanco y moderno. La diseñó Bram, que la definió como uno de sus «proyectos vanidosos». Pero no había vanidad alguna en Bram; era simplemente su lenguaje en código para expresar que su labor no había sido remunerada.

El empleo diario de Bram consistía en diseñar centros temporales para refugiados en épocas de crisis, algo en lo que creía pero que no espoleaba su vertiente creativa. Por ello, siempre estaba buscando la manera de poner en práctica sus sensibilidades modernas, como transformar una vetusta barcaza de transporte en un palacio flotante de tres plantas hecho de cristal, madera y acero, que en su día fue descrito como «la Bauhaus en el Gracht» por una revista de diseño.

Sara, la ayudante de Marjolein, está sentada detrás de una mesa Lucite transparente sobre la cual hay un jarrón con rosas blancas. Al entrar me dedica una sonrisa nerviosa y se levanta lentamente a cogerme el abrigo. Yo me inclino para darle un beso.

—Siento llegar tarde —digo.

—Llegas tres semanas tarde, Willem —responde ella mientras me invita a pasar, aceptando el beso pero no el contacto visual.

Le dirijo mi mejor sonrisa de granuja, aunque noto la tensión en la herida de la mejilla, que ha empezado a escocerme.

—¿Y no ha merecido la pena la espera?

No responde. Han transcurrido más de dos años desde que Sara y yo tuvimos nuestro momento. Por aquel entonces pasaba mucho tiempo en esta oficina y ella estaba allí. Era la secretaria de la abogada de nuestra familia. Cuando sucedió por primera vez me enamoré de Sara, la mujer mayor de ojos tristes y una cama pintada de azul. Pero no duró. Nunca dura.

—Técnicamente, llego con solo unos días de retraso —le digo ahora—. Fue Marjolein quien nos demoró dos semanas.

—Porque se fue de vacaciones —responde Sara, que se muestra extrañamente quisquillosa—. Las había reservado a propósito para después del cierre.

—Willem.

Marjolein se alza imponente en el umbral. Ya es alta de por sí, y todavía más con los tacones de aguja que lleva siempre. Me hace pasar a su despacho, donde la moderna sensibilidad de Bram lo impregna todo. Los papeles y carpetas desordenados en precarios montones constituyen las aportaciones de Marjolein.

—Conque me abandonaste por una chica —dije Marjolein al cerrar la puerta.

Me pregunto cómo es posible que Marjolein lo sepa. Ella me mira, visiblemente complacida por algo.

—Te llamé, ¿sabes?

En el tren de Londres a París había intentado enviar a Marjolein un mensaje para informarle del retraso, pero el teléfono no tenía cobertura y estaba a punto de quedarse sin batería de todos modos. Y, por alguna razón, no quería contarle nada a Lulú. Así que cuando vi a una de las mochileras belgas en la cafetería le pedí prestado el teléfono. Había tenido que rebuscar en mi bolsa el número de Marjolein, que llevaba anotado en la agenda, y acabé derramando el café sobre la chica belga y sobre mí mismo.

—Parecía guapa por teléfono —observa Marjolein con una sonrisa que es a la vez travesura y regañina.

—Lo era —digo.

—Siempre lo son —afirma Marjolein—. Venga, dame un beso —doy un paso al frente para recibir uno, pero me detiene antes de que pueda hacerlo—. ¿Qué te ha pasado en la cara?

Una ventaja de que pospusiéramos nuestro encuentro es que ha dado tiempo a que los moratones se desvanezcan. Los puntos de sutura se han disuelto también. El único vestigio de aquel día es un grueso verdugón que esperaba que pasara desapercibido.

Al ver que no respondo, lo hace Marjolein.

—Te has liado con la chica equivocada, ¿eh? —Señala la zona de recepción—. Por cierto, Sara está con un italiano muy guapo, así que no la fastidies. La última vez que te fuiste se pasó meses deprimida. Casi me veo obligada a despedirla.

Levanto las manos en un gesto de fingida inocencia y Marjolein pone los ojos en blanco.

—¿De verdad fue por culpa de una chica? —pregunta, apuntándome a la mejilla con el dedo.

—Bicicleta y cerveza. Una combinación peligrosa.

Imito animadamente una caída.

—Dios mío. ¿Llevas tanto tiempo fuera que te has olvidado de conducir una bicicleta cuando vas bebido? —pregunta—. ¿Cómo eres capaz de llamarte holandés? Te hemos recuperado justo a tiempo.

—Eso parece.

—Ven, te prepararé un café. Y tengo un chocolate excelente escondido por ahí. Después firmaremos los documentos.

Llama a Sara, que trae dos tacitas de café. Marjolein hurga en los cajones y saca una caja llena de chocolatinas duras. Cojo una y dejo que se deshaga en la lengua.

Marjolein pretende explicarme qué estoy firmando, pero no importa, porque solo es precisa mi rúbrica por alguna formalidad burocrática. Yael nunca adoptó la ciudadanía holandesa, y Bram, que solía decir que «Dios está en los detalles» cuando se refería a la meticulosidad de sus diseños, al parecer tenía la visión contraria en lo tocante a sus asuntos personales.

Lo cual significa que mi presencia es necesaria para finalizar la venta y establecer los diversos fideicomisos. Marjolein sigue parloteando mientras firmo una vez, y otra y otra. Al parecer, el hecho de que Yael no sea holandesa y no resida aquí ni en Israel, sino que deambula de un lado a otro como una especie de refugiada apátrida, le supone grandes ventajas tributarias. Vendió el barco por 717.000 euros, según explica Marjolein. Parte del dinero es para el Gobierno, pero una cifra mucho más abultada irá a nuestros bolsillos. Mañana, al final de la jornada, serán depositados 100.000 euros en mi cuenta bancaria.

Marjolein no deja de observarme mientras estampo mi firma.

—¿Qué? —pregunto.

—Había olvidado lo mucho que te pareces a él.

Me detengo, con el bolígrafo inclinado sobre otra línea de jerga legal. Bram siempre decía que, si bien Yael era la mujer más fuerte del mundo, los genes apacibles de él se imponían al oscuro linaje israelí de ella.

—Lo siento —le dice Marjolein, poniéndose manos a la obra—. ¿Dónde te hospedas desde que has vuelto? ¿Con Daniel?

¿El tío Daniel? No le he visto desde el funeral, y antes solo habíamos coincidido unas cuantas veces. Vive en el extranjero y tiene su piso alquilado. ¿Por qué iba a alojarme allí?

No, desde mi regreso ha parecido como si todavía estuviese viajando. Me he ceñido al estrecho radio que rodea la estación de trenes, cerca de los albergues juveniles baratos y el Barrio Rojo, que está en vías de desaparición. En parte era una cuestión de necesidad. No sabía a ciencia cierta si dispondría de dinero para las próximas semanas, pero, por alguna razón, mi cuenta bancaria no se ha quedado a cero. Podría haberme quedado en casa de unos viejos amigos de la familia, pero no quiero que nadie sepa que he vuelto; no quiero visitar otra vez ninguno de esos lugares. Desde luego, ni me he acercado a Nieuwe Prinsengracht.

—Con una amiga —digo vagamente.

Marjolein lo malinterpreta.

—Ah, con una «amiga». Entiendo.

Sonrío con cierto atisbo de culpabilidad. Dejar que la gente se quede con sus conclusiones precipitadas a veces es más sencillo que explicar una verdad compleja.

—Asegúrate de que esa amiga no tiene un novio malhumorado.

—Haré lo que pueda —digo.

Termino de firmar los papeles.

—Eso es todo, entonces —dice Marjolein, que abre el cajón y saca un sobre marrón—. Aquí tienes el correo. Pedí que todo lo que llegara al barco lo remitieran aquí hasta que me facilites una nueva dirección.

—Puede que me lleve un tiempo.

—No pasa nada. No voy a ir a ninguna parte. —Marjolein abre un armario y saca una botella de whisky y dos vasos de chupito—. Acabas de convertirte en un hombre de recursos. Esto se merece una copa.

Bram solía decir con sorna que, para Marjolein, cada vez que la manecilla del reloj pasaba de las doce era motivo para tomar una copa. Pero acepto el vaso.

—¿Por qué brindamos? —pregunta—. ¿Por nuevas empresas? Por un nuevo futuro.

Sacudo la cabeza.

—Brindemos por los accidentes.

Veo su expresión de sorpresa y reparo demasiado tarde en que parece que esté hablando de lo ocurrido a Bram, aunque no fue tanto un accidente como una ocurrencia estrafalaria.

Pero no me refiero a eso. Me refiero a «nuestro» accidente, al que gestó a nuestra familia. Sin duda, Marjolein debe de haber oído la historia. A Bram le encantaba narrarla. Era a la vez mito de los orígenes de una estirpe, cuento de hadas y canción de cuna:

Bram y Daniel cruzando Israel en un Fiat que se estropeaba constantemente. Se averió un día a las afueras de la ciudad costera de Netanya y Bram trataba de arreglarlo cuando un soldado, escopeta en ristre y cigarrillo colgándole de los labios, se les acercó a paso lento.

—Lo más aterrador que puedas imaginarte —decía Bram, sonriendo al rememorarlo.

Yael. Haciendo autostop de regreso a la base del ejército en Galilea tras un permiso de fin de semana en Netanya, en casa de una amiga, o tal vez de un amigo, en cualquier lugar excepto el piso en el que se había criado con Saba. Los hermanos se dirigían a Safed y después de que ella volviera a conectarles la manguera del radiador se ofrecieron a llevarla. Bram le cedió galantemente el asiento delantero; al fin y al cabo, había arreglado el coche. Pero Yael, que vio que estaba abarrotado de trastos, dijo: «Debería sentarse atrás el más bajo.» Aseguraba que se refería a sí misma y que no sabía cuál de los dos hermanos era más alto, puesto que Daniel ocupaba el asiento del acompañante, liando un porro de hachís libanés que había comprado a un surfista en Netanya.

Pero Bram lo malinterpretó, de modo que tras una innecesaria medición, llegaron a la conclusión de que él le sacaba tres centímetros, y Daniel se acomodó en la parte trasera.

Llevaron a la soldado a la base. Antes de que sus caminos se separaran, Bram le dio su dirección en Ámsterdam.

Año y medio después, Yael finalizó el servicio militar, decidida a poner tanta distancia como pudiera entre ella y todo aquello con lo que se había criado. Cogió sus escasos ahorros y empezó a hacer autoestop rumbo al norte. Duró cuatro meses y había llegado hasta Ámsterdam cuando se le agotó el dinero. Así que llamó a una puerta. La abrió Bram y, aunque no la había visto desde aquella ocasión, aunque no sabía por qué estaba allí y aunque realmente no era su estilo, se sorprendió y la besó. «Como si hubiera estado esperándola todo ese tiempo», decía completamente maravillado.

«Mira si es curiosa la vida —solía añadir Bram como epílogo a su historia de amor épica—. Si el coche no se hubiera estropeado allí, si se hubiese quedado sin dinero en Copenhague o si Daniel hubiese sido el más alto, puede que nada de esto hubiese sucedido jamás.»

Pero sabía que en realidad estaba diciendo: «Accidentes. Todo se reduce a los accidentes.»

6

Dos días más tarde, aparecen cien mil euros en mi cuenta bancaria como por arte de magia. Pero, por supuesto, no lo es. Hace mucho tiempo que me echaron del curso de economía, pero desde entonces he llegado a comprender que el universo se rige por la misma teoría general del equilibrio que los mercados. Jamás te da nada sin hacerte pagar por ello de un modo u otro.

Le compro a un yonqui una bicicleta destartalada y busco otra muda de ropa en un mercadillo. Puede que ahora tenga dinero, pero me he habituado a una vida austera, a poseer tan solo lo que pueda transportar conmigo. Y, además, no voy a quedarme mucho tiempo, con lo cual será mejor que deje el menor número de huellas posible.

Recorro la calle Damrak de arriba abajo en busca de agencias de viajes, intentando decidir cuál será mi próximo destino: Palaos. Tonga. Brasil. Una vez que las opciones van en aumento, decantarse por una resulta más difícil. Puede que busque al tío Daniel en Bangkok. ¿O está en Bali ahora?

En una de las agencias para estudiantes, una chica de pelo oscuro sentada detrás del mostrador me observa mientras consulto los anuncios. Cruzamos miradas, sonríe y me indica con un gesto que entre.

—¿Qué buscas? —pregunta en holandés con un ligero acento. Parece de Europa del Este, tal vez rumana.

—Un lugar que no sea este.

—¿Podrías concretar más? —dice, riéndose un poco.

—Un lugar caluroso, barato y lejano.

«Un lugar en el que con cien mil euros pueda perderme todo el tiempo que quiera», pienso.

La chica se echa a reír.

—Eso describe más o menos medio planeta. Acotemos posibilidades. ¿Quieres playas? Hay algunos lugares fantásticos en Micronesia. Tailandia sigue siendo bastante barato. Si te interesa algo más caótico culturalmente hablando, India es fascinante.

Sacudo la cabeza.

—India no.

—¿Nueva Zelanda? ¿Australia? La gente anda loca con Malawi, en África central. He oído cosas espléndidas sobre Panamá y Honduras, aunque tuvieron un golpe de Estado. ¿Cuánto tiempo quieres pasar allí?

—Indefinido.

—Ah, entonces podrías mirar un billete para dar la vuelta al mundo. Tenemos uno en oferta. —Se pone a escribir en el ordenador—. Aquí hay uno: Ámsterdam, Nairobi, Dubai, Delhi, Singapur, Sidney, Los Ángeles, Ámsterdam.

—¿Tienes alguno que no pase por Delhi?

—Estás empeñado en no ir a India, ¿eh?

Me limito a sonreír.

—De acuerdo. ¿Qué parte del mundo quieres ver?

—Me da igual. Cualquier cosa me vale mientras sea caluroso, barato y lejano. India no. ¿Por qué no eliges tú por mí?

Se ríe, como si fuera una broma, pero hablo en serio. Me he visto atenazado por una especie de inercia indolente desde mi regreso y me he pasado días enteros en tristes camas de hotel esperando mi encuentro con Marjolein. Días enteros, montones de horas vacías, sosteniendo un reloj roto pero que todavía funciona, preguntándome cosas absurdas sobre la chica a la que pertenece. Todo ello me está trastocando un poco, razón de más para volver a la carretera.

La chica tamborilea con los dedos sobre el teclado.

—Tienes que ayudarme. Para empezar, ¿dónde has estado ya?

—Aquí —deslizo mi magullado pasaporte sobre la mesa—. Aquí está mi historia.

Lo abre.

—¿Ah, sí? ¿De verdad? —dice. Su voz ya no es amigable, sino esquiva. Hojea las páginas—. No paras, ¿eh?

Me noto cansado. No estoy para estos bailes, ahora mismo no. Yo solo quiero comprar un billete de avión e irme. Una vez que haya salido de aquí, que me haya alejado de Europa, que me halle en algún lugar caluroso y remoto, volveré a ser yo mismo.

Se encoge de hombros y vuelve a pasar las páginas del pasaporte.

—Vaya. ¿Sabes qué? No puedo reservarte nada todavía.

—¿Por qué no?

—Porque tu pasaporte está a punto de caducar. —Lo cierra y me lo devuelve—. ¿Tienes carné de identidad?

—Me lo robaron.

—¿Presentaste denuncia?

Sacudo la cabeza. No llamé a la policía francesa.

—No importa. De todos modos necesitas pasaporte en la mayoría de estos lugares. Tienes que ir a renovarlo.

—¿Cuánto tardará?

—No mucho. Unas semanas. Vete a pedir los formularios al ayuntamiento.

Recita de una tirada la documentación que voy a necesitar y que no poseo. De repente me siento varado y no estoy seguro de cómo ha ocurrido. ¿Después de lograr no poner un pie en Holanda en dos años? ¿Después de realizar esfuerzos homéricos por evitar esta masa continental, pequeña pero central, por ejemplo convenciendo a Tor, la autoritaria directora de Guerrilla Will, de que no actuara en Ámsterdam y viajara a Estocolmo con el peregrino argumento de que los suecos eran el pueblo que más amaba a Shakespeare en toda Europa aparte de Reino Unido?

Pero la pasada primavera, Marjolein había dilucidado al fin el caótico patrimonio de Bram y la escritura del barco fue remitida a Yael, que lo celebró poniendo inmediatamente a la venta la vivienda que había construido para ella. No debería haberme sorprendido a aquellas alturas.

Aun así, había que tener desfachatez para pedirme que fuera a firmar los documentos. «Cara dura», habría dicho Saba. Comprendía que para Yael fuese una cuestión práctica. Lo mío era un trayecto en tren, el suyo en avión. A mí me supondría solo unos días, un inconveniente menor.

Sin embargo, me demoré veinticuatro horas y, por alguna razón, eso lo cambia todo.

7

Octubre, Utrecht

Se me ocurre, a buenas horas, que quizá debería haber llamado. Tal vez el mes pasado, cuando volví. Y desde luego con anterioridad, antes de presentarme en su casa. Pero no lo hice, y ahora es demasiado tarde. Ya estoy aquí, con la esperanza de que esto resulte lo menos doloroso posible.

En la casa de Bloemstraat alguien ha cambiado el viejo timbre por otro en forma de globo ocular que mira con aire acusador. Parece un mal presagio. Nuestra correspondencia, siempre irregular, ha sido inexistente en los últimos meses. No recuerdo la última vez que le envié un correo electrónico o un mensaje de texto. ¿Hace tres meses? ¿Seis? Pienso, también tarde, que tal vez ni siquiera viva ya aquí.

Pero, por algún motivo, sé que no es así. Porque Broodje no se habría ido sin decírmelo. No lo habría hecho.

Broodje y yo nos conocimos cuando teníamos ocho años. Lo descubrí espiando nuestro barco con unos prismáticos. Cuando le pregunté qué hacía, me explicó que no estaba vigilándonos. Se habían producido multitud de robos en nuestro barrio y sus padres habían barajado la posibilidad de abandonar Ámsterdam y mudarse a un lugar más seguro. Él prefería quedarse en el piso de su familia, así que estaba en sus manos dar con los culpables. «Eso es muy serio», le dije. «Sí, lo es», repuso él. «Pero tengo esto.» De la cesta de su bicicleta sacó el resto de su kit de espía:

osciloscopio, auriculares potenciadores del sonido y gafas de visión nocturna, que me dejó probar. «Si necesitas ayuda para encontrar a esos maleantes, puedo ser tu compañero», le dije. No había muchos niños en nuestro barrio, situado en el extremo oriental del centro de Ámsterdam, y ninguno en las casas flotantes adyacentes de Nieuwe Prinsengracht, donde estaba amarrado nuestro barco, y yo no tenía hermanos. Pasaba gran parte del tiempo en el muelle chutando balones contra el casco del barco y los perdía casi todos en las turbias aguas de los canales.

Broodje aceptó mi ayuda y nos hicimos socios. Nos pasábamos horas estudiando el barrio, haciendo fotos de personas y vehículos sospechosos, resolviendo el caso, hasta que nos vio un anciano y, pensando que trabajábamos con los delincuentes, nos denunció a la policía. Esta nos encontró agachados junto al embarcadero de mi vecino, observando a través de los prismáticos una furgoneta sospechosa que aparecía por allí habitualmente (porque, como descubrimos más tarde, pertenecía a la panadería que había a la vuelta de la esquina). Nos interrogaron y ambos rompimos a llorar, convencidos de que iríamos a la cárcel. Entre tartamudeos, ofrecimos nuestras explicaciones y estrategias de lucha contra el delito. La policía escuchó, intentando por todos los medios no reírse, y después nos llevó a casa y se lo contó todo a los padres de Broodje. Antes de irse, uno de los agentes nos entregó una tarjeta a cada uno, guiñó un ojo y nos pidió que lo llamáramos si teníamos cualquier pista.

Yo tiré la tarjeta, pero, durante años, Broodje conservó la suya. La vi cuando teníamos doce años, clavada en el tablón de anuncios de su dormitorio en el extrarradio, donde acabaron trasladándose después de todo. «¿Todavía tienes esto?», le pregunté. Se había mudado dos años antes y no nos veíamos con frecuencia. Broodje miró la tarjeta y después a mí. «¿Es que no lo sabes, Willy? —dijo—. Yo guardo las cosas.»

Un tipo desgarbado con una sudadera del PSV y el pelo tieso peinado con gomina abre la puerta. Se me encoge el estómago, porque Broodje vivía aquí con dos chicas, con las cuales intentaba acostarse constante e infructuosamente, y con un chico delgaducho llamado Ivo. Pero cuando abre unos ojos como platos al reconocerme, me doy cuenta de que es Henk, un amigo de Broodje de la Universidad de Utrecht.

—¿Eres tú, Willem? —pregunta, y antes de que pueda responder, anuncia—: Broodje, Willem ha vuelto.

Oigo barullo y el crujido de los rasguñados tablones de madera y allí está, una cabeza más alto y un hombro más ancho que yo, una disparidad por la cual el anciano de la casa flotante de al lado nos llamaba Espagueti y Albóndiga, un apodo que a Broodje le gustaba bastante, porque ¿acaso no era una albóndiga mucho más sabrosa que un fideo?

—¿Willy? —Broodje se detiene medio segundo antes de abalanzarse sobre mí—. ¡Willy! ¡Creía que estabas muerto!

—He vuelto de entre los difuntos —digo.

—¿En serio? —Sus ojos son redondos y azules como monedas relucientes—. ¿Cuándo has vuelto? ¿Cuánto tiempo vas a quedarte? ¿Tienes hambre? Deberías haberme dicho que venías, habría preparado algo. Bueno, puedo hacer un buen *borrelhapje*. Pasa. Henk, mira, Willy ha vuelto.

—Ya lo veo —dice Henk asintiendo.

—W —grita Broodje—. Willy ha vuelto.

Entro en el salón. Antes estaba relativamente ordenado, con toques femeninos, como unas velas con aroma de flores que Broodje fingía odiar pero que encendía incluso cuando las chicas no estaban en casa. Ahora huele a calcetines viejos, café rancio y cerveza derramada, y el único vestigio de sus compañeras es un viejo cartel de Picasso, torcido dentro del marco que cuelga encima de la repisa de la chimenea.

—¿Dónde están las chicas? —pregunto.

Broodje sonríe.

—Siempre es Willy quien pregunta primero por las chicas. —Se ríe—. Alquilaron un piso el año pasado y Henk y W se instalaron aquí. Ivo acaba de irse a hacer un curso en Estonia.

—Letonia —corrige Wouter, o W, al bajar por la escalera. Es todavía más alto que yo y tiene el cabello corto e involuntariamente puntiagudo y una nuez tan grande como el pomo de una puerta.

—Letonia —dice Broodje.

—¿Qué te ha pasado en la cara? —pregunta W, que nunca ha sido una persona de cumplidos sociales.

Me toco la cicatriz.

—Me caí de la bici —respondo. La mentira que le conté a Marjolein sale automáticamente. No sé muy bien por qué, a no ser que responda a un deseo de poner tanta distancia como sea posible entre yo y aquel día.

—¿Cuándo has vuelto? —pregunta W.

—Sí, Willy —tercia Broodje, jadeando y tocándome como si fuera un cachorro—. ¿Cuánto hace?

—Unos días —digo, vadeando las aguas que median entre la dolorosa verdad y unas mentiras descaradas—. Tenía que solucionar unas cosas en Ámsterdam.

—Me preguntaba dónde estarías —dice Broodje—. Te llamé hace un tiempo pero saltó una extraña grabación y con el correo electrónico eres lo peor.

—Lo sé. Perdí mi teléfono y todos los contactos y un irlandés me regaló el suyo, incluida su tarjeta SIM. Creía haberte mandado el nuevo número.

—Tal vez lo hiciste. Da igual, entra. Voy a ver qué tengo para comer.

Broodje va a la cocina y oigo cajones abriéndose y cerrándose. Cinco minutos después regresa con una bandeja de comida y cervezas para todos.

—Cuéntanoslo todo. La glamurosa vida de un actor itinerante. ¿Vas a chica por noche?

—Por Dios, Broodje, déjale que se siente —interviene Henk.

—Lo siento. Vivo indirectamente a través de él; cuando estaba aquí, era como tener a una estrella del cine en casa. Y estos últimos años han sido un poco sosos.

—Cuando dices «últimos años» ¿te refieres a veinte? —pregunta W en tono jocoso.

—Así que has ido a Ámsterdam —prosigue Broodje—. ¿Cómo está tu mamá?

—No lo sé —respondo con desinterés—. Está en India.

—¿Aún? —pregunta Broodje—. ¿O vino y volvió a marcharse?

—Ha estado allí todo este tiempo.

—Ah. Hace poco estuve en el viejo barrio y vi el barco iluminado y muebles dentro, así que pensé que habría vuelto.

—No, deben de haber puesto muebles para que parezca habitado, pero no lo está. Al menos no por nosotros —puntualizo antes de enrollar un trozo de *cervelaat* y llevármelo a la boca—. Lo han vendido.

—¿Habéis vendido el barco de Bram? —dice Broodje con incredulidad.

—Mi madre lo vendió —preciso.

—Habrá ganado una buena barcada —bromea Henk.

Guardo silencio un segundo, incapaz de decirles que yo también la he ganado. Entonces W empieza a hablar de un artículo que leyó recientemente en *De Volkskrant* sobre europeos que pagaban cuantiosas sumas por las viejas casas flotantes de Ámsterdam y los amarres, que son tan valiosos como los propios barcos.

—Este no. Deberías haberlo visto —dice Broodje—. Su padre era arquitecto, así que lo dejó precioso, con tres plantas, balcones y cristal por todas partes. —Parece nostálgico—. ¿Cómo lo definió aquella revista?

—Bauhaus en el Gracht.

Había venido un fotógrafo a tomar instantáneas del barco y de nosotros. Cuando se publicó la revista, la mayoría de las fotos eran solo de la casa, pero había una de Yael y Bram flanqueados por la ventana panorámica, los árboles y el canal reflejándose como un espejo detrás de ellos. Yo figuraba en la imagen original, pero me recortaron. Bram me explicó que habían utilizado aquella por la ventana y el reflejo; era una representación del diseño, no de nuestra familia. Pero me pareció que también era una plasmación bastante acertada de nuestra familia.

—No me puedo creer que lo vendiera —comenta Broodje.

Algunos días yo tampoco puedo creérmelo y otros me lo

creo sin reparos. Yael es de las que se muerde su propia mano si necesita huir. Ya lo había hecho antes.

Ahora los chicos me observan con una especie de preocupación ausente a la que no estoy habituado tras dos años de anonimato.

—Así que esta noche Holanda-Turquía —digo.

Los tres se me quedan mirando y asienten.

—Espero que nos vayan mejor las cosas —añado—. Después del rendimiento en la Eurocopa no sé si podré soportarlo. Sneijder... —Meneo la cabeza.

Henk es el primero en picar el anzuelo.

—¿Estás de broma? Sneijder fue el único delantero que demostró coraje.

—¡Eso es mentira! —interrumpe Broodje—. Van Persie marcó un gol precioso a Alemania.

Entonces W empieza a hablar de matemáticas, algo sobre una regresión hacia la media que garantiza una mejora tras el último año espantoso y ahora solo podemos ir hacia arriba, y yo me relajo. Existe un lenguaje universal en las conversaciones banales. En la carretera se habla de viajes: alguna isla desconocida, un hostal barato o un restaurante con un buen menú a precio fijo. Con esta gente es el fútbol.

—¿Verás el partido con nosotros, Willy? —pregunta Broodje—. Iremos a O'Leary's.

No he venido a Utrecht para hablar de cosas banales o de fútbol o en busca de amistad. He venido por unos documentos. Una visita rápida a la universidad para solicitar unos papeles y conseguir el pasaporte. Una vez que lo tenga, volveré a la agencia de viajes; puede que en esta ocasión invite a la chica a tomar una copa y decidiré qué hago. Compraré un billete. Tal vez viaje a La Haya para recoger unos visados y visite el centro médico para que me pongan unas vacunas. Un viaje al mercadillo para comprar ropa nueva. Un tren hacia el aeropuerto. Un exhaustivo registro de los agentes de inmigración, porque un hombre solo con un billete de ida siempre es motivo de sospecha. Un vuelo largo. *Jet lag*. Inmigración. Aduanas. Y, finalmente, ese primer paso en un nuevo lugar, ese momento de euforia y desorientación alimentándose entre sí. Ese momento en que puede suceder cualquier cosa.

Solo tengo un cometido en Utrecht, pero, de repente, el resto de las cosas que necesitaré para lograr salir de aquí se me antojan interminables. Y, lo que es más extraño aún, nada de ello me emociona. Ni siquiera llegar a un lugar nuevo, que en su día hacía que mereciera la pena el fastidio. Todo me resulta agotador. No puedo reunir las agallas necesarias para el esfuerzo que requerirá el salir de aquí.

Pero ¿O'Leary's? Está a la vuelta de la esquina, ni siquiera a una manzana de distancia. De eso me veo capaz.

8

Octubre se vuelve frío y húmedo, como si hubiésemos consumido nuestro cupo de días despejados y cálidos durante la ola de calor veraniega. Mi buhardilla en Bloemstraat es especialmente fría, lo cual me hace dudar si trasladarme aquí fue la decisión correcta. Tampoco es que fuese una decisión. Cuando me desperté en el sofá de la planta baja por tercera mañana consecutiva, tras conseguir poca cosa en mis días en Utrecht, Broodje me propuso que me instalara en la buhardilla.

La oferta más que tentadora fue un hecho consumado. Ya vivía aquí. A veces el viento te arrastra a lugares inesperados; a veces también te arranca de esos lugares.

En la buhardilla hay corriente, y las ventanas traquetean a causa del viento. Por la mañana veo mi vaho. Entrar en calor se convierte en mi principal vocación. Cuando estaba de viaje a menudo me pasaba días enteros en las bibliotecas. Siempre podías encontrar revistas o libros y un respiro del clima o de aquello que requiriera una huida.

La biblioteca de la Universidad Central ofrece las mismas comodidades: grandes ventanas soleadas, sofás confortables y una hilera de ordenadores que puedo utilizar para navegar por Internet. Esto último tiene sus pros y sus contras. En la carretera, los demás viajeros estaban obsesionados con consultar el correo electrónico. A mí me ocurría justamente lo contrario. Odiaba leerlo y sigo odiándolo.

Los e-mails de Yael llegan puntualmente una vez cada dos semanas. Supongo que lo tiene anotado en el calendario junto con las demás tareas. Sus mensajes nunca dicen gran cosa, lo cual hace que responderlos resulte prácticamente imposible.

Ayer llegó uno; eran menudencias, algo sobre tomarse un día libre para asistir a un festival de peregrinos en un pueblo. Nunca me dice de qué se toma un día libre, jamás da explicaciones sobre su trabajo o su vida cotidiana, lo cual es un misterio difuso cuyos contornos merecen únicamente algunos comentarios displicentes de Marjolein. No, todos los correos que me envía Yael emplean una especie de lenguaje de postal. Es la conversación banal perfecta: decir poco y revelar aún menos.

«Hola, mamá», comienza mi respuesta. Después, contemplo la pantalla e intento que se me ocurra algo. Estoy muy versado en toda suerte de cháchas, pero no encuentro las palabras cuando se trata de mi madre. Cuando viajaba resultaba más sencillo, porque podía enviar alguna postal. «En Rumanía, en un centro turístico del mar Negro, pero es temporada baja y todo está tranquilo. He observado a los pescadores durante horas.» Ver a los pescadores una mañana de mucho viento me recordaba a nuestro viaje familiar a Croacia cuando yo tenía diez años. ¿O eran once? Yael dormía hasta tarde, pero Bram y yo nos despertábamos temprano para ir al muelle a comprar producto del día a los pescadores que acababan de regresar con su hedor a sal y vodka. Pero, siguiendo el ejemplo de Yael, suprimo esas briznas de nostalgia de mis misivas.

«Hola, mamá.» El cursor parpadea como una reprimenda y me veo incapaz de ir más allá. No sé qué decir. Abro de nuevo la bandeja de entrada y retrocedo en el tiempo; los últimos años y los ocasionales mensajes de Broodje, y las notas de gente que he conocido en la carretera —vagas promesas de reuniones en Tánger, Belfast, Barcelona, Riga—, planes que rara vez se materializaron. Antes está la avalancha de e-mails de varios profesores de la facultad de economía advirtiéndome que, a menos que alegue «circunstancias especiales», corro el peligro de que

no me acepten al año siguiente (no lo hice, y no me aceptaron).
Y antes, mensajes de condolencia, algunos todavía por abrir, y
unas notas de Bram, en su mayoría estupideces que le gustaba
enviarme: una crítica de un restaurante que quería probar, una
foto de una obra arquitectónica particularmente monstruosa y
una invitación a que le ayudara con su último proyecto de bri-
colaje. Retrocedo cuatro años y ahí están los correos de Saba,
quien, en los dos años transcurridos entre el descubrimiento
del e-mail y su hastío hacia él, se había deleitado en esta forma
de comunicación instantánea con la que podía escribir páginas
y más páginas que no costaba nada mandar.

Vuelvo a la nota de Yael. «Hola, mamá, estoy de vuelta en
Utrecht, con Robert-Jan y los chicos. Llueve a diario; hace una
semana que no vemos el sol ni por asomo. Alégrate de no estar
aquí. Sé que odias el gris. Hablamos pronto. Willem.»

Lenguaje de postal, la más banal de las conversaciones banales.

9

Los chicos y yo vamos a ver una película con la nueva novia de W. Es un thriller de Jan de Bont en el Louis Hartlooper. No me ha gustado ningún filme de De Bont desde hace ni se sabe, pero he perdido la votación porque W tiene novia, lo cual es muy importante, y si ella quiere explosiones, veremos explosiones.

Los multicines están abarrotados y una marea de gente franquea las puertas. Nos abrimos paso entre la multitud para llegar a la taquilla. Y ahí es donde veo a Lulú.

No es mi Lulú, sino la Lulú por la que la bauticé así. Louise Brooks. En el vestíbulo hay montones de viejos carteles de películas, pero nunca he visto este, que no está en la pared, sino montado sobre un caballete. Es un fotograma de *La caja de Pandora* en el que Lulú está sirviéndose una copa con la ceja arqueada en un gesto divertido y desafiante.

—Es hermosa.

Levanto la vista y detrás de mí está Lien, la novia punk de W, especializada en matemáticas. Nadie sabe con certeza cómo lo hizo W, pero, al parecer, se enamoraron por la teoría numérica.

—Sí —coincido.

Miro el cartel más de cerca. En él se anuncia una retrospectiva cinematográfica de Louise Brooks. Esta noche proyectan *La caja de Pandora*.

—¿Quién era? —pregunta Lien.

«Louise Brooks —había dicho Saba—. Mira esos ojos. Hay tanta felicidad que sabes que oculta cierta tristeza.» Yo tenía trece años, y Saba, que odiaba los volubles veranos húmedos de Ámsterdam, acababa de descubrir las salas de reposiciones. Aquel verano fue especialmente gris, y Saba me dio a conocer todas las estrellas del cine mudo: Charlie Chaplin, Buster Keaton, Rodolfo Valentino, Pola Negri, Greta Harbo y su favorita, Louise Brooks.

—Es una estrella de cine —le digo a Lien—. Hay un festival. Por desgracia, es esta noche.

—Podríamos ir a ver esa —responde ella.

No logro adivinar si su tono es sarcástico; es tan seca como W. Pero cuando llego al final de la cola para comprar las entradas, me descubro pidiendo cinco para *La caja de Pandora*.

Al principio, los muchachos se lo toman a broma, hasta que señalo el cartel y les hablo de la retrospectiva. Entonces ya no se ríen tanto.

—¿Y se supone que eso nos hará sentir mejor? —pregunta Henk.

—Yo no pienso ver eso, de ninguna manera —añade W.

—¿Y si yo quiero verla? —interviene Lien.

Le dirijo un agradecimiento silencioso y ella me corresponde arqueando una ceja con perplejidad y mostrando su *piercing*. W accede y el resto sigue su ejemplo.

Una vez arriba, tomamos asiento. En medio del silencio se oyen las explosiones de la sala adyacente y percibo una mirada de anhelo en los ojos de Henk.

Las luces se apagan, el pianista empieza a interpretar la obertura y el rostro de Lulú llena la pantalla. Da comienzo la deteriorada película en blanco y negro; casi se oye crujir como un viejo LP. Pero no hay nada viejo en Lulú. Es atemporal, coqueteando alegremente en el club nocturno, siendo descubierta con su amante y disparando a su marido en su noche de bodas.

Es curioso porque he visto esta película varias veces. Sé exactamente cómo termina, pero a medida que transcurre empieza a agudizarse cierta tensión, cierto suspense, que me revuelve el estómago y me provoca una sensación de incomodidad. Se precisa un poco de ingenuidad, o tal vez mera estupidez, para saber cómo acabarán las cosas y aun así esperar lo contrario.

Inquieto, me meto las manos en los bolsillos. Aunque intento impedirlo, no dejo de pensar en la otra Lulú aquella calurosa noche de agosto. Le lancé la moneda, como había hecho con tantas otras chicas. Pero, a diferencia de las demás, que siempre volvían —aguardando junto a nuestro escenario improvisado a devolverme la tan valiosa moneda, que no valía nada en absoluto, y ver qué podían comprar con ella—, Lulú no lo hizo.

Debería haberlo interpretado como el primer indicio de que la chica era capaz de ver más allá de mis acciones. Pero yo solo pensaba: «No va a ocurrir.» Daba igual. Al día siguiente debía coger un tren a primera hora y después me esperaba una larga y pésima jornada, y yo nunca dormía bien con desconocidas.

No había dormido bien de todos modos y me había levantado temprano, así que cogí un tren rumbo a Londres antes de lo previsto. Y allí estaba, en aquel tren. Era la tercera vez en veinticuatro horas que la veía, y cuando entré en la cafetería recuerdo que me sobresalté, como si el universo estuviera diciéndome: «presta atención».

De modo que presté atención. Me detuve y charlamos, pero estábamos a punto de llegar a Londres y nuestros caminos iban a separarse en breve. En aquel momento, el nudo de pavor que había ido formándose en mi interior desde que Yael me pidió que volviera a Holanda para vender la casa se había convertido en un puño. Por algún motivo, la animada charla con Lulú de camino a Londres lo había desencadenado. Pero sabía que una vez que subiera al siguiente tren hacia Ámsterdam crecería, me atenazaría las entrañas y sería incapaz de comer y de hacer nada salvo voltear nerviosamente una moneda por los nudillos y concentrarme en el próximo «próximo»: en el próximo tren o avión en el que montaría. En la próxima partida.

Pero entonces Lulú mencionó que quería viajar a París y que yo todavía conservaba el dinero que había ganado con Guerrilla

Will aquel verano, un dinero que no necesitaría por mucho tiempo. Y en aquella estación de trenes en Londres pensé: «De acuerdo, quizás esto estaba escrito»; sabía que no había nada que le gustara tanto al universo como el equilibrio, y allí había una chica que quería ir a París, y allí estaba yo, que quería ir a cualquier parte excepto a Ámsterdam. En cuanto propuse que fuésemos juntos a París, se restableció el equilibrio. El miedo desapareció de la tripa. En el tren a París tenía más hambre que nunca.

En la pantalla Lulú está llorando. Imagino a mi Lulú despertando al día siguiente, descubriendo que me he ido, leyendo una nota que prometía un pronto regreso que jamás llegó a materializarse. Me pregunto, como he hecho tantas veces, cuánto tardó en formarse un nefasto concepto de mí cuando en realidad ya lo tenía. En el tren de Londres a París había empezado a reírse descontroladamente, porque creía que la dejaría allí. Yo había bromeado al respecto y, por supuesto, no era verdad. No lo tenía planeado. Pero me afectó, porque fue el primer aviso de que, por alguna razón, aquella chica me veía de un modo que yo no pretendía ser visto.

A medida que transcurre la película, empiezan a acumularse en mi interior el deseo, el anhelo, el arrepentimiento y las dudas sobre todo lo ocurrido aquel día. Nada tiene sentido, pero saberlo no hace sino empeorarlo, y crece y crece y no tiene a donde ir. Hundo más las manos en los bolsillos y acabo haciendo un agujero.

—¡Maldita sea! —digo con más fuerza de la deseada.

Lien me mira, pero finjo estar absorto en la película. El pianista está enfrascado en un *crescendo* cuando Lulú coquetea con Jack el Destripador y, sola y derrotada, lo invita a que suba a su habitación. Cree que ha encontrado a alguien a quien amar, exactamente igual que él, y entonces ves el cuchillo y sabes qué va a acontecer. Volverá a sus viejas costumbres. Estoy convencido de que eso es lo que piensa ella de mí, y tal vez con razón. La película termina con una frenética floritura de piano. Y luego se impone el silencio.

Los chicos permanecen allí sentados un minuto y después empiezan a hablar al unísono.

—¿Eso es todo? ¿La ha matado? —pregunta Broodje.

—Es Jack el Destripador y tenía un cuchillo —responde Lien—. No estaba trinchándole un pavo de Navidad.

—Menudo final, aunque te reconoceré una cosa: no era aburrida —dice Henk—. ¿Willem? Eh, Willem, ¿estás ahí?

Sus palabras me sobresaltan.

—Sí. ¿Qué?

Los cuatro me miran un buen rato, o eso me parece a mí.

—¿Te encuentras bien? —pregunta Lien al fin.

—Estoy bien. ¡Estoy fantásticamente! —Sonrío. Es normal que casi note la cicatriz de la cara tensándose como una goma elástica—. Vamos a tomar algo.

Nos dirigimos a la atestada cafetería del piso de abajo. Pido una ronda de cervezas y después otra de *jenever* para que no falte. Los muchachos me lanzan una mirada, aunque ignoro si es por el alcohol o porque dudan que vaya a pagarlo yo todo. Ahora saben de mi herencia, pero todavía esperan de mí la misma frugalidad de siempre.

Apuro el chupito y después la cerveza.

—Vaya —dice W, pasándome el suyo—. No me apetece el *kostoot*.

Me bebo su chupito de un trago.

Todos guardan silencio, observándome.

—¿Seguro que estás bien? —pregunta Broodje, extrañamente titubeante.

—¿Por qué no iba a estarlo?

El *jenever* está cumpliendo su cometido, calentándome y quemando los recuerdos que cobraron vida en la oscuridad.

—Tu padre falleció. Tu madre se fue a India —dice W con rotundidad—. Tu abuelo también murió.

Se hace un silencio incómodo.

—Gracias —digo—. Había olvidado todo eso.

Pretendo que suene a broma, pero resulta tan amargo como el alcohol que vuelve a arderme en la garganta.

—No le hagas caso —tercia Lien, que le retuerce la oreja afectuosamente—. Está trabajando en emociones humanas como la comprensión.

—No necesito la comprensión de nadie —replico—. Estoy bien.

—Vale. Es que no pareces tú mismo desde...

Broodje no termina la frase.

—Pasas mucho tiempo solo —espeta Henk.

—¿Solo? Estoy con vosotros.

—Exacto —dice Broodje.

Hay otro momento de silencio. No estoy seguro de qué se me acusa, pero entonces Lien lo esclarece.

—Según tengo entendido, siempre has estado con alguna chica, y ahora les preocupa verte siempre solo —dice Lien. Mira a los muchachos—. ¿Es así?

—Más o menos, sí —farfullan a coro.

—¿Habéis estado hablando de esto?

La situación debería ser divertida, pero no lo es.

—Pensamos que estás deprimido porque no tienes sexo —dice W. Lien le da una bofetada—. ¿Qué? —pregunta él—. Podría ser un problema psicológico. La actividad sexual libera serotonina, que acentúa la sensación de bienestar. Es una ciencia sencilla.

—Así no es de extrañar que yo te guste tanto —bromea Lien—. Con toda esa ciencia sencilla...

—Conque ahora estoy deprimido. —Trato de fingir buen humor, pero es difícil impedir que aflore un tizne de algo más en mi voz. Nadie me mira, excepto Lien—. ¿Eso pensáis? —pregunto, intentando tomármelo a broma—. ¿Padezco un caso clínico de huevos hinchados?

—Creo que lo que tienes hinchado no son los huevos —responde ella con frialdad—, sino el corazón.

Hay un momento de silencio y los chicos se echan a reír estrepitosamente.

—Lo siento, *schatje* —dice W—, pero eso sería una conducta anómala. Todavía no le conoces.

—Sé lo que sé —observa Lien.

Se ponen todos a discutir y vuelvo a desear el anonimato de la carretera, donde no tenías pasado ni futuro, tan solo ese momento singular en el tiempo. Y si ese momento se tornaba pegajoso o incómodo, siempre había un tren que partiera hacia el siguiente momento.

—Bueno, si tiene el corazón roto o los huevos hinchados, la cura es la misma —dice Broodje.

—¿Y cuál es? —pregunta Lien.

—Acostarse con alguien —responden Broodje y Henk al unísono.

Esto es demasiado.

—Tengo que ir a mear —digo al levantarme.

En el cuarto de baño me echo agua por la cara y me miro al espejo. La cicatriz sigue roja y enfadada, molesta, como si hubiera estado toqueteándola.

Afuera, el pasillo está abarrotado. Acaba de terminar otra película, no la de De Bont, sino una de esas almibaradas comedias románticas británicas, esas que prometen un amor eterno en dos horas.

—Willem de Ruiter, mientras viva y respire.

Me doy la vuelta y, al salir del cine, con los ojos llorosos de fingida emoción, allí está Ana Lucía Aurelanio.

Me detengo para que pueda alcanzarme. Nos damos un beso y con un gesto indica a sus amigos, a los que reconozco de la universidad, que sigan adelante.

—Nunca me llamaste —dice, haciendo un mohín de niña pequeña que, por alguna razón, es encantador en ella, aunque casi cualquier cosa lo sería.

—No tenía tu número —respondo. No tengo ningún motivo para avergonzarme, pero es como un acto reflejo.

—Pero te lo di en París.

París. Lulú. Los sentimientos de la película empiezan a aflorar de nuevo, pero los contengo. París era ficción, igual que la película romántica que Ana Lucía acaba de ver.

Ana Lucía se inclina un poco. Huele bien, a canela, humo y perfume.

—¿Por qué no me lo das otra vez? —digo, sacando el teléfono—. Puedo llamarte más tarde.

—¿Para qué molestarse? —dice ella.

Me encojo de hombros. Oí rumores de que no estaba muy

contenta de cómo terminaron las cosas la última vez. Guardo el teléfono.

Pero entonces me coge de la mano. La mía está fría. La suya caliente.

—Quería decir que para qué molestarse en llamar más tarde cuando estoy aquí ahora mismo.

Y lo está. Ahora mismo. Y yo también.

«La cura es la misma», oigo decir a Broodje.

Tal vez lo sea.

10

Noviembre, Utrecht

El dormitorio de Ana Lucía es como un capullo abarrotado de colchones de plumas, radiadores zumbando a toda máquina y tazas interminables de chocolate caliente que parece natillas. Los primeros días me contento con estar aquí con ella.

—¿Imaginaste alguna vez que volveríamos a estar juntos? —murmura, acurrucándose junto a mí como un gatito cariñoso.

—Humm —digo, porque no hay manera correcta de responder a eso. Nunca imaginé que volveríamos a estar juntos porque nunca pensé que habíamos estado juntos. Ana Lucía y yo tuvimos una aventura de tres semanas, tal vez cuatro, en aquella neblinosa primavera tras la muerte de Bram, cuando fracasé estrepitosamente en la escuela pero triunfaba de manera espectacular con las mujeres. Aunque triunfar no es la palabra adecuada. Implica algún tipo de esfuerzo cuando en realidad era lo único en mi vida que no requería ninguno.

—Yo sí —dice, mordisqueándome la oreja—. He pensado mucho en ti estos últimos años. Y entonces nos encontramos en París y pensé que aquello tenía algún significado, que era el destino.

—Humm —repito. Recuerdo que tropecé con ella en París y también que pensé que aquello tenía algún significado, pero no que fuera el destino. Más bien la intrusión, con un día de anticipo, de un día que había dejado atrás.

—Pero no me llamaste después —dice.

—Me surgió algo.

—Estoy seguro de que fue así. —Desliza la mano entre mis piernas—. Te vi con una chica en París. Era guapa.

Lo dice con displicencia, con desprecio incluso, pero algo cobra vida en mi estómago. Una especie de advertencia. La mano de Ana Lucía sigue en mi entrepierna y está teniendo el efecto deseado, pero Lulú también se halla en la habitación. Como aquel día en París, cuando me encontré con Ana Lucía y sus primos mientras paseaba por el Barrio Latino con Lulú, solo quiero distancia entre ambas.

—Ella era guapa, pero tú eres hermosa —digo en un intento por desviar la conversación. Mis palabras son ciertas, pero carentes de significado. Aunque Ana Lucía probablemente sea más bella que Lulú, esos concursos rara vez se ganan por tecnicismos.

Me agarra con más fuerza.

—¿Cómo se llamaba?

No quiero pronunciar su nombre. Pero Ana Lucía ha conseguido arrinconarme y, si no lo digo, levantaré sospechas.

—Lulú —respondo, apoyado en la almohada. Ni siquiera es su verdadero nombre, pero suena a traición.

—Lulú —repite Ana Lucía. Me suelta y se incorpora—. Una chica francesa. ¿Era tu novia?

Las luces del alba empiezan a filtrarse por la ventana, pálidas y grises, tiñéndolo todo de un tono levemente verduzco. Por alguna razón, la luz gris del amanecer hizo brillar a Lulú en aquella habitación blanca.

—Por supuesto que no.

—¿Fue otra de tus aventuras, entonces?

La risa de Ana Lucía responde a su pregunta; su certeza me irrita.

Aquella noche en la galería de arte ilegal, después de todo, Lulú se había deslizado el dedo por la muñeca y yo había hecho lo mismo. Era una especie de lenguaje en código que significaba «mancha», algo que duraba, aunque no quisieras que fuese así. Significaba algo, al menos en aquel momento.

—Ya me conoces —digo sosegadamente.

Ana Lucía se echa a reír otra vez con un sonido gutural y grueso, rico e indulgente. Se me sube encima, a horcajadas sobre mis caderas.

—Claro que te conozco —responde con una mirada centelleante. Me desliza un dedo por la línea central—. Ahora sé por lo que has pasado. Antes no lo entendía, pero he crecido. Tú también has crecido. Creo que los dos somos personas diferentes con necesidades diferentes.

—Mis necesidades no han cambiado —le digo—. Son las mismas de siempre, muy básicas.

La acerco a mí. Sigo enfadado con ella, pero el hecho de que invocara el nombre de Lulú me ha exaltado. Toco el encaje del borde de su camisola y hundo un dedo debajo de los tirantes.

Mantiene los ojos cerrados un minuto y yo hago lo mismo. Noto la esponjosidad de la cama y la estela de sus besos cerosos en mi cuello.

—Dime que me quieres —susurra—. Dime que me necesitas.*

No se lo digo porque habla español e ignora que ahora lo entiendo. Sigo con los ojos cerrados, pero incluso en plena oscuridad oigo una voz que me anuncia que será mi chica de montaña.

—Yo cuidaré de ti —dice, y doy un brinco en la cama al oír las palabras de Lulú en boca de Ana Lucía.

Pero cuando esta hunde la cabeza debajo de las sábanas me doy cuenta de que está hablando de un cuidado diferente. No es el que yo necesito, pero no lo rechazo.

* En español en el original. *(N. del T.)*

11

Tras dos semanas cómodamente instalado en el dormitorio de Ana Lucía, regreso a Bloemstraat. Es un lugar tranquilo, un agradable contraste respecto de la barahúnda constante del campus universitario y sus alrededores, donde todo el mundo se mete en los asuntos ajenos.

Abro los armarios de la cocina. Ana Lucía ha estado trayéndome comida de cafetería o pidiendo platos para llevar, que ha cargado a las tarjetas de crédito de su padre. Anhelo algo real.

Aquí no queda gran cosa: un par de bolsas de pasta, cebollas y ajo. Hay una lata de tomate en la despensa, suficiente para preparar salsa. Empiezo a trocear las cebollas y me lloran los ojos de inmediato. Siempre me ocurre. A Yael también. Nunca cocinó demasiado, pero de vez en cuando sentía nostalgia de Israel y ponía una pésima música pop hebrea y hacía *shakshouka*. No importaba que estuviese en el piso de arriba, encerrado en mi habitación; percibía el olor y bajaba a la cocina. A veces, Bram nos encontraba juntos, con los ojos rojos, y se echaba a reír, me alborotaba el pelo, besaba a Yael y decía en tono jocoso que la única vez que podías ver a Yael Shiloh llorar era cuando cortaba cebolla.

Hacia las cuatro oigo la llave en la cerradura y digo hola en voz alta.

—Willy, estás de vuelta. Y estás coci... —dice Broodje al entrar en la cocina, pero se interrumpe a media frase—. ¿Qué pasa?

—¿Eh? —Entonces me doy cuenta de que se refiere a las lágrimas—. Es por las cebollas.

—Ah —dice él—. Las cebollas. —Coge la cuchara de madera y la hunde en la salsa, sopla y la prueba. Después busca en la despensa unas hierbas deshidratadas y se las frota entre los dedos antes de espolvorearlas. Vierte una pizca de sal y da varias vueltas al pimentero. Acto seguido baja el fuego al mínimo y pone la tapa—. Porque si no son las cebollas... —añade.

—¿Qué si no?

Da un pisotón en el suelo.

—Estoy preocupado por ti desde aquella noche —dice—. Por lo que sucedió después de la película.

—¿Qué sucedió? —pregunto.

Se dispone a decir algo, pero no lo hace.

—Nada —sentencia—. ¿Así que Ana Lucía otra vez?

—Sí, Ana Lucía otra vez. —No se me ocurre qué más puedo añadir, así que me decanto por una conversación trivial—. Te manda saludos.

—Estoy seguro de ello —dice Broodje, que no se lo cree en absoluto.

—¿Quieres comer?

—Sí —dice—. Pero la salsa no está lista.

Broodje sube a su habitación. Estoy perplejo. Es improbable que rechace comida, con independencia de lo hecha que esté. Le he visto comer carne de hamburguesa cruda. Dejo que la salsa hierva a fuego lento. El aroma llena la casa y aun así no baja, de modo que subo yo y llamo a la puerta.

—¿Sigues teniendo hambre? —pregunto.

—Siempre la tengo.

—¿Quieres bajar? Puedo preparar un poco de pasta.

Broodje sacude la cabeza.

—¿Estás en huelga de hambre? —bromeo—. Como Sarsak.

Se encoge de hombros.

—Puede que lo haga.

—¿Y por qué irías a la huelga? —pregunto—. Tendría que ser algo más importante para que pasaras sin comida.

—Tú eres muy importante.

—¿Yo?

Broodje cambia de postura en la silla.

—¿Antes no nos contábamos las cosas, Willy?

—Por supuesto.

—¿No hemos sido siempre buenos amigos? Incluso cuando cambié de casa seguimos estando unidos. Aunque te marcharas y nunca te pusieras en contacto conmigo, creía que éramos buenos amigos, y ahora has vuelto. ¿Y si en realidad no somos amigos?

—¿De qué estás hablando?

—¿Dónde has estado, Willy?

—¿Que dónde he estado? Con Ana Lucía. Por Dios, fuiste tú el que dijo que necesitaba acostarme con alguien para superarlo.

Le centellean los ojos.

—¿Superar qué, Willy?

Me siento en la cama. ¿Superar qué? Esa es la pregunta, exactamente.

—¿Es por lo de tu papá? —pregunta Broodje—. No pasa nada si es así. Solo hace tres años. Yo tardé eso mismo en superar lo de *Varken*, y era un perro.

La muerte de Bram me destrozó. Lo hizo. Pero es cosa del pasado y he estado bien, así que no entiendo por qué vuelve a resultarme tan duro. Tal vez porque he regresado a Holanda. Tal vez fue un error quedarse.

—No sé qué es —le digo a Broodje. Me alivia reconocerlo.

—Pero es algo —responde.

No puedo explicarlo, porque no tiene sentido. Una chica. Un día.

—Es algo —repito.

Broodje no dice nada, pero el silencio es como una invitación y no estoy seguro de por qué lo guardo en secreto. Así que explico que fue mi encuentro con Lulú en Stratford-upon-Avon. Verla otra vez en el tren. Durante el trayecto, nuestro coqueteo motivado por el *hagelslag*, de todas las cosas imaginables. Llamarla Lulú, un nombre que parecía encajarle tan bien que olvidé que en realidad no se llamaba así.

Le cuento algunos de los mejores momentos de un día que, volviendo la vista atrás, parece tan perfecto que a veces pienso que me lo inventé: Lulú recorriendo la Bassin de la Villette arriba y abajo con un billete de cien dólares, sobornando a Jacques para que nos lleve por el canal. Los dos a punto de ser detenidos por un gendarme por viajar ilegalmente dos personas en una bicicleta Vélib', pero cuando ese gendarme me preguntó por qué había cometido semejante estupidez, cité aquella frase de Shakespeare que afirma que la belleza era una bruja y la reconoció, así que nos dejó marchar tras darnos una advertencia. Lulú eligiendo a ciegas una parada de metro y acabando en Barbès Rochechouart, y ella, que aseguraba sentirse incómoda viajando, aparentando felicidad por la aleatoriedad de todo ello. Le cuento también lo de los *skinheads*. Que no me lo pensé cuando intervine e intenté que no acosaran a aquellas dos chicas árabes por el velo. No pensé en lo que podían hacerme a mí, y justo cuando empezaba a darme cuenta de que tal vez me había metido en un jaleo, allí estaba Lulú, arrojando un libro a uno de ellos.

Aun cuando lo explico, sé que no estoy haciéndole justicia. Ni al día ni a Lulú. Tampoco estoy contando toda la historia, porque hay cosas que no sé cómo explicar. Por ejemplo, cuando Lulú sobornó a Jacques para que nos diera ese paseo por el canal, no fue su generosidad lo que me conmovió. Nunca le dije que me había criado en un barco ni que faltaba un día para venderlo todo. Pero parecía saberlo. ¿Cómo es posible? ¿Qué lógica tiene?

Cuando termino la historia, no estoy seguro de si me he explicado con claridad, pero me siento mejor.

—Así pues —digo a Broodje—, ¿ahora qué?

Broodje olisquea. El aroma de la salsa ha impregnado la casa entera.

—La salsa está lista. Ahora vamos a comer.

12

—He estado pensando —dice Ana Lucía.

Fuera cae aguanieve, pero en su dormitorio hace mucho calor, y tenemos nuestro pequeño banquete de comida tailandesa sobre la cama.

—Esas son siempre unas palabras peligrosas —bromeo.

Me lanza una bolsita de salsa para el pato.

—He estado pensando en la Navidad. Lo cierto es que yo no la celebro, pero el mes que viene deberías venir conmigo a Suiza para estar en familia.

—No sabía que tuviera parientes en Suiza —respondo, y me llevo un rollito de primavera a la boca.

—Me refería a mi familia. —Me mira con unos ojos incómodamente intensos—. Quieren conocerte.

Ana Lucía pertenece a un numerosísimo clan español, herederos de una empresa de mensajería que vendieron a los chinos antes de que la recesión paralizara su economía. Tiene innumerables parientes, hermanos y primos que viven por toda Europa, Estados Unidos, México y Argentina, y habla cada noche con ellos en una especie de conversación a múltiples bandas.

—Nunca se sabe qué podría ocurrir. Puede que algún día tú también los veas como tu familia.

Quiero contestar que yo ya tengo familia, pero ya no me parece cierto. ¿Quién queda? Yael y yo. Y el tío Daniel, pero apenas contaba de buen principio. El rollito se me pega en la garganta y lo engullo con un trago de cerveza.

—Aquello es muy bonito —añade.

En una ocasión, Bram nos llevó a Yael y a mí a esquiar a Italia. Ambos nos quedamos acurrucados en la cabaña, ateridos de frío. Aprendió la lección. Al año siguiente fuimos a Tenerife.

—En Suiza hace demasiado frío —digo.

—¿Y esto es igual de bonito? —pregunta ella.

Ana Lucía y yo hemos estado juntos tres semanas. Faltan seis para Navidad. No es preciso ser W para realizar ese cálculo.

Al ver que no respondo, Ana Lucía dice:

—¿O es que quieres que me vaya para que te dé calor otra?

Al instante, su tono ha cambiado y la desconfianza que, según veo ahora, acechaba en el exterior, entra como una exhalación.

La tarde siguiente, cuando regreso a Bloemstraat, encuentro a los chicos a la mesa y papeles desperdigados por todas partes. Broodje levanta la mirada, con la expresión de un perro que se sabe culpable de haber robado la cena.

—Lo siento —dice de inmediato.

—¿El qué? —pregunto.

—Es posible que les haya contado algo sobre nuestra conversación —tartamudea—. Sobre lo que dijiste.

—No nos ha sorprendido demasiado —tercia W—. Era obvio que algo iba mal desde que volviste. Y sabía que esa cicatriz no era de un accidente de bicicleta. No parece algo provocado por una caída.

—La historia es que me golpeé con una rama de árbol.

—Pero te dieron una paliza unos *skinheads* —dice Henk—. Los mismos a los que la chica les tiró el libro el día antes.

—Creo que ya sabe lo que le ocurrió —dice Broodje.

—Es increíble que vieses a los mismos tipos —comenta Henk.

—Más bien mala suerte —replica Broodje.

Yo no medio palabra.

—Creemos que has sufrido esa cosa postraumática —afirma Henk—. Por eso has estado tan deprimido.

—¿Ya habéis descartado la teoría del celibato?

—Pues sí —dice Henk—, porque ahora te has acostado con alguien y sigues deprimido.

—¿Crees que es por esto? —digo, tocándome la cicatriz—. ¿No por la chica? —Miro a W—. ¿No crees que tal vez Lien tenía razón?

Los tres intentan contener la risa.

—¿Qué os parece tan divertido? —pregunto con una repentina actitud irritada y defensiva.

—Esa chica no te rompió el corazón —dice W—. Tan solo la racha.

—¿Y qué significa eso si se puede saber? —pregunto.

—Vamos, Willy —dije Broodje, ondeando los brazos para que nos calmemos—. Te conozco. Sé cómo eres con las chicas. Te enamoras y luego desapareces como la nieve al sol. Si hubieras pasado unas semanas más con esa chica, te habrías cansado de ella como haces con todas las demás. Pero no lo hiciste. Fue casi como si te hubiese dejado, así que estás nostálgico.

«¿Estás comparando el amor con una mancha?», había preguntado Lulú. Al principio se había mostrado escéptica.

«Algo que nunca desaparece por más que quieras.» Sí, una mancha parecía acertado.

—De acuerdo —dice W, golpeteando con el bolígrafo—. Empecemos por el principio, con tantos detalles como puedas ofrecer.

—¿El principio de qué?

—De tu historia.

—¿Por qué?

W comienza a exponer el principio de conectividad y dice que la policía lo utiliza para encontrar delincuentes a través de las asociaciones personales que pueda establecer. Siempre habla de teorías como esta. Cree que toda la vida se reduce a las matemáticas, que existe un principio u algoritmo numérico que describe cada acontecimiento, incluso los aleatorios (¡la teoría del caos!). Me lleva un rato comprender que pretende utilizar el principio de conectividad para resolver el misterio de Lulú.

—Insisto: ¿por qué? El misterio está resuelto —le espeto—. Echo de menos a la chica que se fue porque se fue.

No estoy seguro de si me siento irritado porque creo que es cierto o porque creo que no lo es.

W pone los ojos en blanco, como si no viniera al caso.

—Pero tú quieres encontrarla, ¿no es así?

Esa noche W ha preparado hojas de cálculo y gráficas, y sobre la repisa de la chimenea, debajo del descolorido cartel de Picasso, ha colocado una cartulina vacía.

—El principio de conectividad. Básicamente, localizamos a la gente que podamos encontrar y vemos qué conexiones tiene con tu chica misteriosa —dice W—. La mejor opción es empezar por Céline. Es posible que Lulú haya vuelto a por la maleta.

W escribe el nombre de Céline y lo rodea con un círculo. Se me ha pasado la idea por la mente varias veces y he sentido la tentación de contactar con Céline. Pero vuelvo a rememorar aquella noche, su mirada dura y herida. En cualquier caso, no importa. Es posible que la maleta siga en el club y que Lulú no haya vuelto a buscarla, o que no esté allí e hiciera algo para recuperarla, que encontrara mis notas dentro y decidiera no responder. Saberlo no cambia en nada mi situación.

—Céline no pinta nada en todo esto —digo.

—Pero es la conexión más sólida —protesta W.

No le hablo de Céline ni de lo ocurrido en su piso aquella noche o lo que le prometí.

—No pinta nada.

W tacha el nombre de Céline con cierto dramatismo. Después dibuja un círculo y en su interior escribe «barcaza».

—¿Qué significa eso? —pregunto.

—¿Rellenó alguna documentación? —dice W—. ¿Pagó con tarjeta de crédito?

Sacudo la cabeza.

—Pagó con un billete de cien dólares. Básicamente sobornó a Jacques.

Escribe «Jacques» y lo rodea con un círculo. Vuelvo a hacer un ademán negativo.

—Pasé más tiempo yo con él que ella.

—¿Qué sabes de él?

—Es el típico marinero. Vive en el agua todo el año. Navega cuando hace buen tiempo. Tenía anclada la barcaza en un puerto deportivo en Deauville, si mal no recuerdo.

W anota «Deauville» y lo rodea con un círculo.

—¿Algún otro pasajero?

—Eran mayores. Daneses. Un matrimonio y una pareja divorciada que parecía casada. Iban todos borrachos como cubas.

W escribe «daneses borrachos» dentro de un círculo en un lateral de la cartulina.

—Los consideraremos un último recurso —dice W, pasando a la línea siguiente—. Creo que la pista más fiable probablemente será la que consuma más tiempo.

Esboza una leve sonrisa. Después, en la parte inferior de la cartulina escribe AGENCIA DE VIAJES en grandes letras mayúsculas.

—El único problema es que no sé cuál era.

—Con toda probabilidad, una de estas siete —responde W mientras coge un folio impreso.

—¿Has encontrado la agencia de viajes? ¿Por qué no lo has dicho de buen comienzo?

—No la he encontrado, pero localicé a las siete empresas que organizan viajes para alumnos estadounidenses que tuviesen uno en Stratford-upon-Avon las noches en cuestión.

—Las noches en cuestión —bromea Henk—. Esto empieza a parecer un programa de detectives.

Observo la hoja impresa.

—¿Cómo has hecho esto? ¿En una noche?

Me espero un teorema matemático complicado, pero se encoge de hombros y dice:

—Internet. —Hace una pausa—. Puede que haya más de siete agencias, pero estas las he confirmado como posibilidades.

—¿Más? —dice Broodje—. Siete ya me parecen muchas.

—Esa semana hubo un festival de música —explico.

Ese era el motivo por el que Guerrilla Will había ido a Stratford-upon-Avon. Tor solía evitarlo; guardaba un rencor venenoso a la Royal Shakespeare Company, relacionado con su rencor aún más tóxico hacia la Academia Real de Arte Dramático, que le había denegado el acceso en dos ocasiones. A partir de entonces se convirtió en toda una anarquista y fundó Guerrilla Will.

W escribe los nombres de las agencias en la cartulina y los rodea con un círculo: «Grandes Horizontes», «Europa Ilimitada», «El Mundo es Pequeño», «Veta Aventurera», «Vamos», «¡Viajes Adolescentes!» y «Europa Moderna».

—Yo supongo que tu chica misteriosa fue en uno de estos.

—De acuerdo, pero hay siete —le dice Henk—. ¿Y ahora qué?

—¿Llamo?

—Exacto —dice W.

—Estoy buscando a... maldita sea.

Una vez más, vuelvo a caer en la cuenta: ni siquiera sé su nombre.

—¿Qué detalles de identificación conoces? —pregunta W.

Conozco el timbre de su risa. Conozco el calor de su aliento. Conozco la luz de la luna reflejada en su piel.

—Viajaba con una amiga suya —le digo— que era rubia, y Lulú tenía el pelo negro y corto, una media melena como Louise Brooks —los muchachos cruzan miradas—. Tenía una marca de nacimiento justo aquí. —Me toco la muñeca. Desde que me la enseñó por primera vez en el tren me pregunté qué sabor tendría—. Casi siempre la llevaba tapada con un reloj de oro. Ah, sí, tiene un reloj de oro caro. O lo tenía. Ahora lo tengo yo.

—¿Es suyo? —pregunta Broodje.

Asiento.

W lo anota.

—Esto está bien —dice W—. Sobre todo el reloj. La identifica.

—También te da una coartada —añade Broodje—, una razón para buscarla aparte de tirártela unas cuantas veces más para eliminarla de tu organismo. Puedes alegar que quieres devolverle el reloj.

Hace media hora la cartulina estaba vacía, pero ahora está medio llena, con todos esos círculos, esas tenues conexiones que me vinculan a ella. W se vuelve hacia el papel.

—El principio de la conectividad —dice.

Durante la semana siguiente, uno a uno, los círculos de la tabla de conectividad de W se convierten en cruces, a medida que unas conexiones que a mi juicio nunca existieron se ven cercenadas. El Mundo es Pequeño es para adolescentes y sus padres, así que queda descartada. Vamos no tiene registrado a nadie con media melena morena y un reloj en ese viaje. Veta Aventurera se niega a divulgar información sobre sus clientes y Europa Moderna por lo visto ha cerrado. ¡Viajes Adolescentes! no coge el teléfono, aunque he dejado varios mensajes y correos electrónicos.

Es un proceso desalentador. Y complicado también, porque debo esquivar husos horarios, devoluciones de llamadas y a la cada vez más desconfiada Ana Lucía. Está descontenta con mis frecuentes ausencias, que he atribuido a la liga de fútbol en la que supuestamente participio.

Una noche suena el teléfono pasadas las once.

—¿Es tu novia? —dice Ana Lucía con un tono monocorde.

«Novia» es su apelativo para Broodje, porque cree que paso más tiempo con él que con ella. Es una broma, pero cada vez que lo dice se me revuelve el estómago por el sentimiento de culpabilidad.

Cojo el teléfono y voy al otro lado de la habitación.

—Hola. Busco a un tal Willem de Ruiter.

La voz, en inglés, destroza la pronunciación de mi nombre.

—Sí, hola —respondo, tratando de sonar profesional porque Ana Lucía está allí mismo.

—¡Hola, Willem! Soy Erica, de ¡Viajes Adolescentes! Llamo en respuesta a tu correo electrónico sobre la devolución de un reloj perdido.

—Ah, bien —respondo con tono despreocupado, aunque Ana Lucía me mira con los ojos entrecerrados y sé que es porque estoy hablando en inglés y, aunque lo utilizo con ella, por teléfono siempre hablo holandés con los chicos.

—Ofrecemos un seguro por pérdida y robo a todos nuestros viajeros, así que si hubiera extraviado algo de valor habría una reclamación.

—Oh —digo.

—Pero he comprobado todas las reclamaciones de ese periodo y lo único que he encontrado es un iPad robado en Roma y un brazalete que fue recuperado. De todos modos, si tienes un nombre, puedo volver a realizar la comprobación.

Miro a Ana Lucía, que ahora no me observa, con lo cual sé que está escuchando.

—No puedo facilitártelo ahora mismo.

—Ah, de acuerdo. Quizá podrías llamarme más tarde.

—Tampoco puedo hacer eso.

—Oh. ¿Estás seguro de que era ¡Viajes Adolescentes!?

Ahora comprendo que la historia del reloj perdido está tan resquebrajada como el propio objeto. Aunque fuese la agencia correcta, es imposible que sepan que Lulú perdió el reloj, porque sucedió después del viaje. Es una ficción. Todo es una ficción. Lo cierto es que estoy buscando a una chica cuyo nombre desconozco y que guarda un ligero parecido con Louise Brooks. No puedo decirlo en voz alta. Tampoco es que quiera. Esto es absurdo.

Erica continúa.

—La guía en ese viaje era una de nuestras veteranas. Ella sabrá si se perdió algo. ¿Quieres su número de teléfono?

Me vuelvo hacia la cama. Ana Lucía está levantada, cambiando las sábanas.

—Se llama Patricia Foley —prosigue Erica—. ¿Quieres su número?

Ana Lucía cruza la habitación y se planta delante de mí totalmente desnuda, como si supiera que está ofreciendo una alternativa. Pero en realidad no lo es, ya que la otra opción no existe en realidad.

—No será necesario —le digo a Erica.

A la mañana siguiente me despierto al oír unos golpecitos y entreabro los ojos en dirección a la puerta corredera de cristal. Allí está Broodje, que sostiene una bolsa y se lleva un dedo a los labios.

Abro la puerta, Broodje asoma la cabeza y me tiende la bolsa.

En la cama, Ana Lucía se frota los ojos con aire malhumorado.

—Siento haberte despertado —le dice a Ana Lucía—. Tengo que llevármelo. Hoy hay partido. El Lapland ha renunciado, así que jugaremos contra el Wiesbaden.

«¿Lapland y Wiesbaden?» Ana Lucía no sabe absolutamente nada de fútbol, pero esto es llevarlo demasiado lejos. Sin embargo, su expresión no muestra desconfianza hacia el emparejamiento, solamente enojo por la inoportuna llegada de Broodje.

En la bolsa hay una vieja equipación de fútbol: camiseta, pantalones cortos, zapatillas y un delgado chándal para llevar encima. Miro a Broodje y él me mira a mí.

—Será mejor que vayas a cambiarte —dice.

—¿Cuándo volverás? —me pregunta Ana Lucía al darme la vuelta. El chándal me va varios centímetros corto y no sé si se ha dado cuenta.

—Tarde —responde Broodje—. Es un partido a domicilio, en Francia. —Me mira—. En Deauville.

¿Deauville? No. La búsqueda ha terminado. Pero Broodje ya está franqueando el umbral y Ana Lucía tiene los brazos cruzados. Estoy pagando el precio, así que quizá valga la pena que cometa el crimen.

Me acerco a darle un beso de despedida.

—Deséame suerte —digo, olvidando por un segundo que no voy a jugar, al menos a fútbol, y que ella es la última persona que debería desearme suerte.

De todos modos no lo hace.

—Espero que pierdas —responde.

13

Deauville

Es temporada baja en Deauville y el hotel junto al mar está cerrado a cal y canto. Desde el canal sopla un viento frío. A lo lejos alcanzo a ver el puerto deportivo, hileras de veleros en el dique seco, sobre sus soportes, sin las velas izadas. Al aproximarnos, parece que el puerto está cerrado, hibernando, lo cual es una idea acertada.

Durante el trayecto en el coche de Lien, que por alguna razón olía a lavanda cuando partimos y ahora a ropa húmeda y sucia, los chicos estaban entusiasmados. Ayer noche, W localizó una barcaza llamada *Viola* y decidió que debíamos viajar a Francia por carretera. «¿No sería más fácil llamar?», pregunté cuando me expusieron el plan. Pero no. Al parecer pensaban que debíamos ir. Por supuesto, iban vestidos apropiadamente para la ocasión y yo llevaba solo un delgado chándal. Ellos no tenían nada que perder, excepto un día de estudio. Yo todavía menos, pero me daba la sensación de que era más.

Recorremos el laberíntico puerto y finalmente llegamos a la oficina, que por supuesto está cerrada. Son las cuatro de la tarde de un oscuro día de noviembre: cualquiera que esté en su sano juicio se ha encerrado en algún lugar caliente.

—Bueno, tendremos que buscarla nosotros —dice W.

Miro en torno a mí. Lo único que veo son mástiles en todas direcciones.

—No sé cómo.

—¿Los puertos deportivos están organizados por tipos de embarcación? —pregunta W.

Suspiro.

—A veces.

—¿Es posible que haya una sección de barcazas? —pregunta.

Vuelvo a suspirar.

—Seguramente.

—¿Y dices que ese tal Jacques vive en el barco todo el año para que no lo lleven al dique seco?

—Probablemente. —Nosotros teníamos que sacar nuestra casa flotante del agua cada cuatro años para realizar algunas reparaciones. Llevar al dique seco una embarcación de esa envergadura es una empresa titánica—. Seguramente estará amarrado.

—¿A qué? —pregunta Henk.

—Imagino que a un muelle.

—Exacto. Podemos ir caminando hasta que encontremos las barcazas —propone W, como si fuera tan sencillo.

Pero no lo es en absoluto. Ahora llueve con fuerza; hay humedad debajo y encima de nosotros. Y todo parece desierto, sin sonido alguno, a excepción del golpeteo continuo de la lluvia, las olas contra el lateral de los cascos y el repiqueteo de las drizas.

Un gato sale corriendo por uno de los muelles y, detrás de él, un perro ladrando, perseguido a su vez por un hombre enfundado en un impermeable amarillo, un punto de color en medio de la oscuridad. Los observo y me pregunto si soy como ese perro, intentando dar caza a un gato porque está en su naturaleza.

Los chicos se refugian bajo un toldo. Ahora estoy temblando, preparado para acabar con todo esto. Me dispongo a proponer un restaurante acogedor, una buena comida y unas copas antes del largo viaje a casa, pero los chicos están señalando algo. Me doy la vuelta.

Las contraventanas azules de acero del *Viola* están cerradas, lo cual le confiere un aspecto solitario, allí amarrado junto a los atracaderos de cemento y los enormes postes de madera. También parece frío, como si deseara estar disfrutando del cálido verano parisino.

Me adentro en el muelle y, por un segundo, casi siento los rayos del sol en mi piel, casi puedo oír a Lulú dándome a conocer la doble felicidad. Fue justo allí donde nos sentamos, junto a la baranda. Justo allí discrepamos sobre el significado de la doble felicidad. «Suerte», dijo ella. «Amor», repuse yo.

—¿Qué demonios estáis haciendo aquí?

Se dirige hacia nosotros el hombre del impermeable amarillo, y el chucho que había huido ahora va atado con correa y está temblando.

—Muchos ladrones han subestimado a *Napoleón* y lo han pagado con medio kilo de carne, ¿no es así? —le dice a su perro. Tira de la correa y *Napoleón* ladra penosamente.

—No soy un ladrón —digo en francés.

El hombre arruga la nariz.

—¡Peor aún! Eres extranjero. Ya me parecías demasiado alto. ¿Alemán?

—Holandés.

—Da igual. Salid de aquí antes de que llame al gendarme o suelte a *Napoleón*.

Levanto las manos.

—No he venido a robar nada. Estoy buscando a Jacques.

No estoy seguro de si es porque he nombrado a Jacques o porque *Napoleón* ha empezado a lamerse los testículos, pero el hombre se refrena.

—¿Conoces a Jacques?

—Un poco.

—Si conoces a Jacques, aunque solo sea un poco, sabes dónde encontrarlo cuando no está en el *Viola*.

—Puede que menos que un poco. Lo conocí el verano pasado.

—Uno conoce a mucha gente, pero no sube en el barco de un hombre sin invitación. Esa es la violación última de su reino.

—Lo sé. Solo quiero encontrarlo y este es el único lugar que se me ocurre.

El hombre entrecierra los ojos.

—¿Te debe dinero?

—No.

—¿Estás seguro? ¿No será por las carreras? Siempre apuesta al caballo equivocado.

—No tiene nada que ver con eso.

—¿Se ha acostado con tu mujer?

—¡No! El verano pasado llevó a cuatro pasajeros en París.

—¿Los daneses? ¡Cabrones! Le hicieron perder casi todo lo que recaudó por el trayecto. Es un jugador de póquer nefasto. ¿Perdió dinero contigo?

—¡No! Obtuvo dinero de nosotros. Cien dólares. Míos y de una chica estadounidense.

—Esos estadounidenses son terribles. Nunca hablan francés.

—Ella hablaba chino.

—¿Y de qué sirve eso?

Suspiro.

—Mire, esa chica... —empiezo a explicar, pero me despacha con un gesto de desdén.

—Si quieres a Jacques, vete al Bar de la Marine. Cuando no está en el agua está en la bebida.

Encuentro a Jacques sentado junto a la larga barra de madera, inclinado sobre un vaso casi vacío. En cuanto entramos me saluda, aunque no estoy seguro de si me ha reconocido o si es simplemente un saludo estándar. Está manteniendo una profunda conversación sobre las nuevas cuotas del muelle con el camarero. Invito a los chicos a una ronda de cervezas, los llevo a una mesa esquinera y me siento al lado de Jacques.

—Dos de lo que esté tomando él —indico al camarero, y nos sirve a un vaso de un coñac con hielo tan dulce que me duelen los dientes.

—Me alegro de volver a verte —me dice Jacques.

—Entonces ¿me recuerda?

—Pues claro —responde, entornando los ojos para ubicar-

me—. De París. —Eructa y se golpea el pecho con el puño—.
No te sorprendas tanto. Hace solo unas semanas.

—Fue hace tres meses.

—Semanas, meses... El tiempo es muy fluido.

—Sí, recuerdo que dijo eso.

—¿Quieres que te alquile el *Viola*? Ahora está parado, pero
en mayo volverá al agua.

—No necesito que me alquile nada.

—En ese caso ¿qué puedo hacer por ti?

Apura el resto de la copa y hace crujir el hielo. Después
empieza con la que acaban de servirle.

Lo cierto es que no tengo una respuesta que ofrecerle. ¿Qué
puede hacer por mí?

—Yo iba con aquella chica estadounidense y estoy intentando dar con ella. Por casualidad no se pondría en contacto
con usted...

—La chica estadounidense. Sí, sí que lo hizo.

—¿En serio?

—Sí. Me pidió que le dijera a aquel cabrón alto que había
terminado con él porque había encontrado otro hombre. —Se
señala a sí mismo y se echa a reír.

—Entonces ¿no se puso en contacto con usted?

—No, lo siento, chico. ¿Te ha dejado plantado?

—Algo así.

—Podrías preguntarles a esos capullos daneses. Una de ellas
no deja de mandarme mensajes. A ver si puedo encontrarla.
—Saca un *smartphone* y empieza a toquetearlo—. Me lo regaló
mi hermana. Me dijo que me ayudaría con la navegación, las
reservas... pero no me aclaro. —Me lo ofrece—. Prueba tú.

Consulto su listado de mensajes y encuentro uno de Agnethe. Lo abro y hay varios mensajes anteriores, incluidas unas
fotografías del verano pasado cuando navegábamos con el *Viola*. La mayoría son de Jacques delante de unos campos de alazor
amarillo, de unas vacas o de una puesta de sol, pero hay una
imagen que reconozco: un clarinetista sobre un puente que cruza el canal Saint Martin. Estoy a punto de devolverle el teléfono cuando lo veo: en la esquina, un fragmento de Lulú. No es

su rostro, sino la parte posterior —hombros, cuello y pelo—, pero es ella. Un recordatorio de que no es una ficción gestada por mí.

A menudo me he preguntado en cuántas fotografías me habrán capturado accidentalmente. Aquel día hubo otra instantánea que no fue en modo alguno accidental, una imagen intencionada de Lulú y mía que pidió a Agnethe que tomara con su teléfono. Lulú se ofreció a enviármela y dije que no.

—¿Puedo enviarme esto a mí mismo? —pregunto a Jacques.

—Como gustes —dice gesticulando con la mano.

Envío la imagen al teléfono de Broodje, ya que era cierto que el mío no acepta mensajes con fotografías, aunque ese no fue el motivo por el que no quise la instantánea de Lulú y mía cuando me la ofreció. Aquella negativa fue algo automático, casi un acto reflejo. Prácticamente no conservaba ninguna foto del último año viajando. Aunque estoy seguro de que aparezco en las fotografías de mucha gente, yo no estoy en ninguna de las mías.

En la mochila, la que me robaron en aquel tren a Varsovia, había una vieja cámara digital. Y en esa cámara había fotos mías, de Yael y de Bram tomadas el día de mi dieciocho cumpleaños. Fueron de las últimas en las que salíamos los tres juntos y no las descubrí hasta que estuve en la carretera, una noche que me aburría y repasé todas las instantáneas que contenía la memoria. Y allí estaban.

Debería haber enviado esas fotos por correo electrónico o haberlas impreso. Debería haber hecho algo permanente. Pensaba hacerlo, de veras. Pero lo pospuse y luego me robaron la mochila y ya era demasiado tarde.

La devastación me cogió por sorpresa. Existe una diferencia entre perder algo que sabías que tenías y perder algo que descubriste que tenías. Una es una decepción. La otra es una auténtica pérdida.

Antes no lo sabía. Ahora sí.

14

Utrecht

En el camino de vuelta a Utrecht llamo a Agnethe, la danesa, para preguntarle si Lulú le envió alguna foto o si habían mantenido algún tipo de correspondencia, pero apenas me recuerda. Es deprimente. Aquel día, que tengo tan grabado en la memoria, es solo un día más para todo el mundo. Y, en cualquier caso, era solo un día y ya pasó.

Todo ha pasado también con Ana Lucía. Lo noto, aunque ella no. Cuando regreso, derrotado, diciéndole que la temporada futbolística ha concluido, se muestra comprensiva, o tal vez victoriosa. Todo son besos y «cariños».

Los acepto, pero ahora sé que es cuestión de tiempo. En tres semanas se irá a Suiza. Cuando vuelva cuatro semanas después yo ya habré desaparecido. Hago una nota mental para recordarme que debo renovar el pasaporte.

Es como si Ana Lucía lo intuyera, porque empieza a insistir más en que la acompañe a Suiza. Cada día un nuevo argumento. «Mira qué buen tiempo hace», dice una mañana mientras se prepara para ir a clase. Enciende el ordenador y me lee el parte meteorológico de Gstaad. «Cielo soleado cada día. Ni siquiera hace mucho frío.»

Yo no respondo. Me limito a forzar una sonrisa.

—Mira esto —dice, y abre una página de viajes e inclina el portátil hacia mí para mostrarme unas imágenes de los Alpes nevados y unos cascanueces pintados—. Aquí te explican todo lo que puedes hacer además de esquiar. No tienes por qué quedarte sentado en la cabaña. Estamos cerca de Lausana y Berna. Ginebra tampoco está muy lejos. Podemos ir de compras. Es famosa por los relojes. ¡Ya lo tengo! Te compraré un reloj.

Todo mi cuerpo se pone rígido.

—Ya tengo reloj.

—¿Ah, sí? Nunca te lo veo puesto.

Está en Bloemstraat, en la mochila. Todavía funciona. Casi puedo oírlo desde aquí. Y, de repente, tres semanas me parecen demasiado.

—Deberíamos hablar.

Pronuncio esas palabras sin saber siquiera qué diré a continuación. Romper con alguien es algo que no he hecho desde hace tiempo. Es mucho más fácil despedirse con un beso y coger un tren.

—Ahora no —dice antes de levantarse para aplicarse lápiz de labios delante del espejo—. Ya voy tarde.

De acuerdo. Ahora no. Luego. Bien. Eso me dará tiempo para encontrar las palabras adecuadas. Siempre hay palabras adecuadas.

Una vez que se ha ido, me visto, preparo café y me siento delante de su ordenador a leer el correo antes de marcharme. La página de viajes que había visitado sigue abierta, y estoy a punto de cerrar la ventana cuando veo uno de los anuncios. «¡¡¡MÉXICO!!!», exclama. Fuera hace un día frío y gris, pero las fotos prometen solo calor y sol.

Hago clic en el vínculo y me lleva a una página que enumera varios paquetes vacacionales, cosa que nunca contrataría, pero entro en calor con solo contemplar las playas. Y entonces veo unos anuncios de viajes a Cancún.

Cancún.

Donde va Lulú cada año.

Donde ha ido con su familia al mismo lugar cada año. La previsibilidad de su madre, que a ella le exaspera tanto, es ahora mi máxima esperanza.

Evoco los detalles. Como todo aquel día, están tan frescos como la pintura húmeda. Un centro turístico inspirado en los templos mayas. Como América tras unos muros con villancicos al estilo mariachi. Navidad. Fueron de vacaciones. Navidad. ¿O fue Año Nuevo? ¡Puedo ir en ambas fechas!

Canalizando a W, empiezo a buscar complejos vacacionales en Cancún. En pantalla aparece una playa de aguas cristalinas tras otra. Esos megacomplejos que recuerdan a las fortalezas y templos mayas no tienen fin. Lulú dijo que tenía una especie de río. Recuerdo que pensé en ello, un hotel con río. No hay ningún río natural que surque Cancún. Hay campos de golf, piscinas, acantilados desde los que arrojarse al mar y toboganes de agua, pero ¿ríos? Estoy repasando el listado de Palacio Maya cuando lo veo. Un río lento, una especie de arroyo falso en el que navegas con un tubo hinchable.

Acoto la búsqueda. No parece haber muchos complejos turísticos que parezcan templos mayas y cuenten con ríos lentos. Cuatro, que yo vea. Cuatro en los que Lulú podría hospedarse en algún momento entre Navidad y Año Nuevo.

Fuera llueve a cántaros, pero las páginas web se jactan de que el clima en México es caluroso, con cielos azules y un sol perenne. Todo este tiempo he estado atrapado, intentando averiguar adónde ir. ¿Por qué no aquí? ¿Por qué no ir a buscarla? Entro en un navegador y consulto los precios de dos billetes a Cancún. Son caros, pero aun así puedo permitírmelos.

Cierro el ordenador mientras confecciono una lista mental. Parece muy sencillo.

Conseguir el pasaporte.

Invitar a Broodje.

Comprar los billetes.

Encontrar a Lulú.

15

Aquella tarde, a las seis, compro los billetes para Broodje y para mí y reservo una habitación en un hotel barato de Playa del Carmen. Me siento colmado de satisfacción, pues he conseguido más en un solo día que en los dos últimos meses. Solo queda una cosa por hacer.

«Tenemos que hablar», dice mi mensaje de texto a Ana Lucía. Ella me responde al instante: «Ya sé de qué quieres hablar. Ven a las ocho.» Me he quitado un peso de encima. Ana Lucía es inteligente. Sabe, igual que yo, que sea lo que sea, no es una mancha.

De camino compro una botella de vino. No hay motivo por el que esto no pueda ser algo civilizado.

Me recibe en la puerta, enfundada en un biquini rojo y unos labios más rojos aún. Me coge el vino de la mano y me hace entrar de un tirón. Hay velas votivas encendidas por todas partes, como una catedral en día de santo patrón. Tengo un mal pálpito.

—Cariño, ahora lo entiendo. Tanto hablar de lo mucho que odias el frío. Debería haberlo imaginado.

—¿Imaginar qué?

—Que obviamente quieres ir a un lugar caluroso. Y sabes que mis tíos viven en Ciudad de México. Lo que no entiendo es cómo supiste lo de la villa en Isla Mujeres.

—¿Isla Mujeres?

—Es preciosa. Está en la misma playa, con piscina y sirvientes. Nos han invitado a hospedarnos allí si queremos, o podemos quedarnos en la zona continental, pero en un sitio barato no. —Arruga la nariz—. Insisto en pagar el hotel, no hay discusión. Es lo justo teniendo en cuenta que has comprado los billetes.

—He comprado los billetes.

Lo único que puedo hacer es repetirlo.

—Oh, cariño —dice como arrullándome—. Al final conocerás a mi familia. Nos organizarán una fiesta. Mis padres se molestaron porque cancelé lo de Suiza, pero entienden lo que puede hacer una persona por amor.

—Por amor —repito, aunque con una sensación nauseabunda empiezo a encajar las piezas. Su navegador de Internet. Mi historial de búsqueda. Billetes para dos. El hotel. Mi sonrisa es tensa, llena de falsa dulzura. ¿Cómo puedo encontrar las palabras para esto? Le diré que es un malentendido; los billetes son para unas vacaciones de chicos, para mí y para Broodje, lo cual es cierto.

—Sé que querías que fuese una sorpresa —continúa—. Ahora sé por qué hablabas a escondidas por teléfono, pero amor, nos vamos en tres semanas. ¿Cuándo pensabas decírmelo?

—Ana Lucía —empiezo—. Ha habido un malentendido.

—¿A qué te refieres? —dice. Y la esperanza sigue allí, como si el malentendido fuese un detalle menor, igual que el hotel.

—Esos billetes no son para ti. Son para...

Ana Lucía me interrumpe.

—Es esa otra chica, ¿verdad? La de París.

Tal vez no sea tan buen actor como creo. Porque el modo en que su expresión ha trocado abruptamente de adoración a desconfianza me demuestra que probablemente lo ha sabido en todo momento. Y ahora debo de ser un actor terrible, porque, si bien mi boca empieza a formar una explicación plausible, mi rostro está revelándolo todo. Lo sé por el semblante de Ana Lucía: sus hermosos rasgos se contraen en un gesto de incredulidad, y después de credulidad.

—¡Hijo de la gran puta! ¿Es la chica francesa? Has estado

con ella todo este tiempo, ¿no es así? —grita—. ¿Por eso fuiste a Francia?

—No es lo que piensas —digo, levantando las manos.

Abre la puerta corredera de cristal que da al patio interior.

—Es exactamente lo que pienso —dice, y me saca afuera.

Me quedo allí plantado, y Ana Lucía coge una vela y me la tira. La vela pasa junto a mí y cae sobre uno de los cojines que tiene en la escalera de cemento—. ¡Has estado viéndote a escondidas todo este tiempo con esa zorra francesa!

Entonces pasa silbando otra vela, que aterriza en los arbustos.

—Vas a provocar un incendio.

—¡Perfecto! ¡Así quemaré tu recuerdo, cabrón!

Me tira otra vela.

La lluvia ha cesado y, aunque hace una noche gélida, parece que media universidad se haya congregado alrededor de nosotros. Intento llevarla dentro, calmarla, pero fracaso en ambas empresas.

—¡Cancelé mi viaje a Suiza por ti! Mi familia te había organizado una fiesta. Y todo este tiempo estabas escapándote a ver a tu zorra francesa. En mi país. Donde vive mi familia.

Ana Lucía se golpea el pecho desnudo, como si no solo se reivindicara propietaria de España, sino de toda Latinoamérica.

Me arroja otra vela. En esta ocasión la atrapo y estalla, y me derrama cristal y cera caliente en la mano. Se me forma una ampolla en la piel. Me pregunto vagamente si quedará cicatriz. Sospecho que no.

16

Diciembre, Cancún

La cúspide de la civilización maya aconteció hace más de mil años, pero dudo que el más sagrado de aquellos templos estuviera tan bien custodiado como lo está ahora el Maya del Sol.

—¿Número de habitación? —nos preguntan los vigilantes a Broodje y a mí cuando nos acercamos a la puerta del imponente muro tallado que parece extenderse un kilómetro en ambas direcciones.

—Cuatro-cero-siete —dice Broodje sin darme la oportunidad de hablar.

—La llave —dice el vigilante. Lleva todo el costado del chaleco manchado de sudor.

—Me la he dejado en la habitación —responde Broodje.

El vigilante abre una carpeta y hojea sus documentos.

—¿Señor y señora Yoshimoto? —pregunta.

—En efecto —dice Broodje, entrelazando su brazo y el mío.

El vigilante parece molesto.

—Es solo para huéspedes.

Cierra la carpeta bruscamente y se dispone a cerrar la ventanilla.

—No somos huéspedes —digo con una sonrisa conspiradora—. Pero estamos buscando a uno.

—¿Nombre?

Vuelve a coger la carpeta.

—No lo sé exactamente.

Se acerca un Mercedes negro con los cristales tintados y apenas se detiene antes de que el vigilante levante la valla y le indique con un gesto que puede pasar. Se vuelve hacia nosotros con desconfianza y por un segundo me invade una sensación de victoria, pero dice:

—Marchaos antes de que tenga que llamar a la policía.

—¿A la policía? —exclama Broodje—. Eh, eh, eh. Tranquilicémonos todos un momento. Quitémonos los chalecos y tomemos algo. Podemos ir al bar; tiene que haber bares bonitos en el hotel. Le traeremos una cerveza.

—Esto no es un hotel. Es un club de vacaciones.

—¿Y qué significa eso exactamente? —pregunta Broodje.

—Significa que no podéis entrar.

—Tenga compasión. Hemos venido desde Holanda. Está buscando a una chica —dice Broodje.

—¿Acaso no la buscamos todos? —pregunta el vigilante situado detrás de él, y ambos se echan a reír. Sin embargo, no nos dejan entrar.

Propino a la motocicleta un buen puntapié de frustración, lo cual sirve al menos para arrancarla. Hasta el momento nada está yendo como esperaba, ni siquiera el clima. Yo pensaba que en México haría calor, pero es como estar todo el día metido en un horno. O puede que tenga esa sensación porque en lugar de pasar el primer día en una playa refrescada por las brisas como Broodje tuvo a bien hacer, ayer estuve en las ruinas de Tulum. Lulú había mencionado que su familia visitaba las mismas ruinas cada año, y las de Tulum son las más cercanas, así que pensé que tal vez la encontraría allí. Durante cuatro horas vi a miles de personas apearse de los autobuses turísticos, de las minifurgonetas y de los coches de alquiler. En dos ocasiones me pareció verla y eché a correr tras ella. Cabello correcto, chica equivocada. Y me di cuenta de que quizá ya no llevaba ese corte de pelo.

Había vuelto al pequeño hotel con la piel quemada y dolor de cabeza, y el optimismo que abrigaba ante este viaje se convirtió en un sentimiento de zozobra. Broodje propuso alegremente que probáramos en los hoteles, un entorno más contenido. Y si eso no funcionaba, señaló a la playa. «Hay muchas chicas aquí», dijo con un susurro, casi en tono de reverencia, apuntando hacia la arena, que estaba cubierta de biquinis hasta el último centímetro.

«Muchas chicas —pensé—. ¿Por qué intento encontrar solo a una?»

El Palacio Maya, otro de los falsos complejos mayas que figuran en mi lista de objetivos, se halla escasos kilómetros al norte de aquí. Matamos el tiempo en la autopista, respirando el humo de los autobuses turísticos y los camiones que pasan. Esta vez ocultamos la motocicleta en unos matorrales situados junto a la serpenteante y cuidada carretera que conduce a la entrada principal. El Palacio Maya se asemeja mucho al Maya del Sol, pero en lugar de un muro monolítico tiene delante una gigantesca pirámide con una valla de seguridad en medio. Ahora estoy preparado. En español, le digo al vigilante que estoy buscando a una amiga que se hospeda allí pero que quiero darle una sorpresa. Después le deslizo un billete de veinte dólares. Sin decir nada, procede a abrir las puertas.

—Veinte dólares —dice Broodje, asintiendo—. Eso es mucho más elegante que un par de cervezas.

—Probablemente dos cervezas cuesten eso en un lugar así.

Avanzamos por el camino asfaltado, pensando que encontraremos un hotel o indicios del mismo, pero nos topamos con otra valla de seguridad. Los vigilantes sonríen y nos dan los buenos días, como si hubieran estado esperándonos, y por su modo de escrutarnos, como si fueran gatos y nosotros ratones, veo que sus compañeros han llamado antes de nuestra llegada. Sin mediar palabra, saco la cartera y les entrego diez dólares más.

—Gracias, señor —dice el vigilante—. ¡Qué generoso! —Pero entonces mira alrededor—. Somos dos.

Vuelvo a sacar el monedero. El pozo está seco. Le demuestro que está vacío y él sacude la cabeza. Me excedí en la primera valla. Debería haber ofrecido diez primero.

—Venga —digo—. Es lo único que me queda.

—¿Sabes cuánto cuestan las habitaciones aquí? —pregunta—. Mil doscientos dólares la noche. Si quieres que os permita la entrada a ti y a tu amigo, disfrutar de las piscinas, de las planas, del tenis y de los bufets, tendréis que pagar.

—¿Bufets? —interrumpe Broodje.

—¡Shhh! —susurro, y le digo al guardia—: Todo eso nos da igual. Solo estamos buscando a un huésped.

El vigilante arquea una ceja.

—Si conocéis a los huéspedes, ¿por qué os coláis como ladrones? ¿Os creéis que porque tengáis la piel blanca y un billete de diez dólares pensamos que sois ricos? —Se echa a reír—. Es un truco muy viejo, amigo.

—Yo no intento colarme en ningún sitio. Estoy buscando a una chica. Una chica estadounidense. Es posible que se hospede aquí.

Esto provoca al vigilante una risa aún más sonora.

—¿Una chica estadounidense? Yo también quiero una de esas. Cuestan más de diez dólares.

Nos miramos el uno al otro.

—Devuélveme el dinero —digo.

—¿Qué dinero? —pregunta el vigilante.

Cuando nos montamos de nuevo en la moto estoy furioso. Broodje también, y protesta porque nos han estafado esos treinta dólares. Pero a mí no me importa el dinero. No estoy enfadado con los vigilantes.

No dejo de reproducir mentalmente la conversación con Lulú, y después otra en la que me habló de México y de lo frustrante que era ir cada año al mismo hotel con su familia. Yo le dije que tal vez debía salirse de la norma la próxima vez que fuera a Cancún. «Tienta al destino —sugerí—. A ver qué pasa.» Luego bromeé con que quizás algún día iría a México, me la encontraría y nos escaparíamos a la selva, sin tener ni idea en aquel momento de que aquel estúpido comentario se convertiría en una especie de misión. «¿Crees que sucedería eso? —preguntó—. ¿Que nos encontraríamos por casualidad?» Yo respondí que tendría que producirse otro gran accidente y ella bromeó: «¿Me estás diciendo que soy un accidente?»

Después de contestar que sí, dijo algo extraño: que el hecho de que la tachara de accidente probablemente era lo más halagador que le habían dicho nunca. No andaba buscando cumplidos. Estaba revelando algo con aquella honestidad suya, tan absolutamente cautivadora que no solo estaba desnudándose ella, sino también a mí. Cuando dijo eso, me hizo sentir como si me hubieran confiado algo muy importante. También me causó tristeza, porque percibí que era cierto. Y, si lo era, estaba mal.

He adulado a muchas chicas, muchas que lo merecían, y muchas que no. Lulú se lo merecía. Se merecía muchos más halagos que ser tildada de accidente. Así que abrí la boca para decir algo bonito. Lo que salió, creo, nos sorprendió a ambos. Le dije que era el tipo de persona que encontraba dinero y lo devolvía, que lloraba viendo películas en las que supuestamente no había que llorar y que hacía cosas que la asustaban. Ni siquiera estaba seguro de dónde había salido todo eso, solo de que, cuando lo dije, estaba convencido de que era cierto. Porque, por inverosímil que fuera, la conocía.

Solo ahora me doy cuenta de lo equivocado que estaba. No la conocía en absoluto. Y no formulé las preguntas más simples, por ejemplo, dónde se hospedaba en México, cuándo viajaba allí o cuál era su apellido o su nombre. Y, de resultas, aquí estoy, a merced de los guardias de seguridad.

Volvemos al hostal, situado en la zona polvorienta de Playa del Carmen, que está llena de perros callejeros y tiendas desvencijadas. La cantina de al lado sirve cerveza barata y tacos de pescado, y pedimos varias rondas de ambas cosas. Entran un par de viajeros de nuestro hostal. Broodje los saluda y empieza a contarles nuestro día, adornándolo de tal manera que casi parece divertido. Así nacen todas las buenas historias de viajes. Las pesadillas se convierten en un chiste. Pero tengo demasiado reciente la frustración como para que nada resulte divertido.

Marjorie, una hermosa chica canadiense, chasquea la lengua en un gesto de comprensión. Una británica llamada Cassandra, con el pelo castaño, corto y puntiagudo, se lamenta de la situación de pobreza en México y de los fracasos del TLCAN, mientras que T. J, un texano abrasado por el sol, se limita a reírse.

—He visto ese sitio, el Maya del Sol. Es como el Disneyland de la Riviera —observa.

En la mesa situada detrás oigo a alguien comentar:

—Más bien el Disneyland del infierno.

Me doy la vuelta.

—¿Conoces ese lugar? —pregunto en español.

—Trabajamos allí —responde el más alto también en español.

Le tiendo la mano.

—Willem —digo.

—Esteban —contesta él.

—José —dice el más bajo. Ellos también me recuerdan a la pareja Espagueti y Albóndiga.

—¿Hay alguna posibilidad de que podáis colarme?

Esteban sacude la cabeza.

—No sin poner en peligro mi trabajo. Pero hay una manera sencilla de entrar. Te pagan por visitarlo.

—¿En serio?

Esteban me pregunta si tengo tarjeta de crédito. Saco la cartera y le muestro mi nueva Visa, un regalo del banco tras mi cuantioso depósito.

—Bien, de acuerdo —dice Esteban. Después mira mi atuendo, consistente en una camiseta y unos pantalones caqui desgastados—. Necesitarás una ropa más apropiada, no esas prendas de surfista.

—Ningún problema. ¿Y luego qué?

Esteban nos explica que Cancún está lleno de comerciales intentando vender a la gente una multipropiedad en esos complejos turísticos. Frecuentan las agencias de alquiler de coches, los aeropuertos e incluso algunas ruinas.

—Si creen que tenéis dinero, os invitarán a realizar una visita. Incluso os pagarán por las molestias, ya sea con dinero, con visitas gratis o con masajes.

Se lo cuento todo a Broodje.

—Parece demasiado bueno para ser verdad —dice.

—No es demasiado bueno, y es verdad —responde José en inglés—. Mucha gente compra. Toman esa decisión tan importante en solo un día.

José menea la cabeza con asombro, disgusto o ambas cosas.

—Los tontos y su dinero —dije T. J. entre risas—. Así que tiene que parecer que estáis forrados.

—¡Él lo está! —exclama Broodje—. ¿Qué importancia tiene su aspecto?

—No importa lo que seas, solo lo que parezcas —replica José.

Compro para Broodje y para mí unos pantalones de lino y camisas por casi nada y me gasto una cifra desmesurada en dos pares de gafas de sol Armani en un puesto de la zona turística de la ciudad.

Broodje se siente horrorizado por el precio de las gafas, pero le digo que son necesarias.

—Los pequeños detalles son los que cuentan.

Es lo que decía siempre Tor para explicar por qué llevábamos unos disfraces tan minimalistas en Guerrilla Will.

—¿Y qué es lo que cuenta? —pregunta.

—Somos *playboys* holgazanes con fondos fiduciarios que han alquilado una casa en Isla Mujeres.

—Y aparte de la casa, ¿fingirás ser tú mismo?

Al día siguiente es Navidad, así que esperamos al 26 para ponernos en marcha. En la primera agencia de coches prácticamente hemos alquilado uno cuando nos damos cuenta de que no hay nadie allí ofreciéndonos una visita. En la segunda nos recibe una rubia y sonriente estadounidense con dientes grandes que nos pregunta cuánto tiempo estaremos en la ciudad y dónde nos hospedamos.

—Oh, me encanta Isla —dice cuando le mencionamos nuestra villa—. ¿Ya habéis comido en el Mango?

Broodje parece levemente aterrorizado, pero yo esbozo una sonrisa.

—Todavía no.

—Ah —dice—. ¿Vuestra villa dispone de cocinero?

Sigo sonriendo, con cierta timidez en esta ocasión, como si la esplendidez me ruborizara.

—Un momento. ¿Habéis alquilado la casa de adobe blanco con la piscina desbordante?

Sonrío una vez más y asiento.

—Entonces ¿la cocinera es Rosa?

No respondo, y tampoco es necesario. Con encogerme de hombros bastará.

—Oh, me encanta ese lugar. Y el mole de Rosa es divino. Me entra hambre solo de pensar en él.

—Yo siempre tengo hambre —dice Broodje lascivamente. Ella lo mira con socarronería y yo le propino una discreta patada.

—Ese lugar es muy caro —dice—. ¿Alguna vez habéis pensado en comprar algo por aquí?

Me echo a reír.

—Demasiada responsabilidad —dice Willem, *playboy* millonario.

La chica asiente, como si ella también comprendiera el agobio que supone evaluar múltiples propiedades.

—Sí, pero hay otra manera. Podéis ser propietarios y que luego otra persona cuide de la vivienda e incluso ponerla en alquiler.

Después saca unos panfletos satinados de varios hoteles, incluido el Maya del Sol.

Observo la propaganda, rascándome la barbilla.

—Me han hablado de inversiones de ese tipo para eludir impuestos —digo, evocando a Marjolein.

—Es una forma espléndida de ganar y ahorrar dinero. Deberíais ver una de esas propiedades.

Finjo hojear los folletos con desinterés.

—Este tiene buena pinta —digo, señalando el del Maya del Sol.

—Es pecaminosamente decadente.

Empieza a contarme todo lo que sabe del lugar —las playas, las piscinas, los restaurantes, el cine y el campo de golf—, pero no muestro excesiva disposición.

—No sé —digo.

—¡Al menos podríais visitarlo! —casi está suplicando—. Podríais ir a uno hoy mismo.

Suspiro profundamente y la miro durante un breve minuto.

—Teníamos pensado ver las ruinas. Por eso íbamos a alquilar un coche.

—Puedo organizaros una visita gratuita a las ruinas. —Saca otro folleto—. Esta es a Coba, e incluye un baño en un cenote y un salto en tirolina. Puedo incluirlo gratis.

Guardo silencio, como si estuviera pensándomelo.

—Podéis ir a pasar el día. —Me mira más de cerca—. No les digáis que os lo he contado, pero incluso podríais pasar la noche. Una vez que franqueéis las puertas, estáis dentro.

Miro a Broodje, como si estuviera pidiéndole permiso para hacer un favor a la chica y aceptar la visita. Él me sigue el juego con una mirada de agotamiento que dice: si no queda más remedio...

Sonrío a la chica y ella me corresponde.

—¡Fantástico! —Empieza a rellenar la documentación, explicándonos cómo será la visita—. Y cuando volváis a Isla, debéis ir al Mango. Los *brunches* son para morirse. —Aparta la mirada de los documentos—. Podría llevaros yo misma.

—Podrías —respondo.

—¿Estaréis aquí en Fin de Año?

Asiento.

—¿Qué vais a hacer?

Me encojo de hombros y abro las manos, como sugiriendo muchísimas opciones.

—Habrá una fiesta fantástica en la playa de Puerto Morelos. Tocarán Las Olas de Molas, un grupo de reggae genial. Normalmente es lo mejor de toda la playa. Muchos bailamos toda la noche y a veces cogemos un ferry y vamos a Isla a tomar un *brunch* para la resaca.

—Quizá nos veamos allí.

Sonríe.

—Cruzaré los dedos. Aquí tenéis todo lo necesario para las visitas —dice, haciéndome entrega de unos documentos, además de una tarjeta con su teléfono móvil personal—. Me llamo Kayla. Llamadme si necesitáis cualquier cosa. Lo que sea.

Los mismos guardias de seguridad sudorosos y enfundados en sus chalecos vigilan la entrada del Maya del Sol, pero no nos reconocen. O no les importa. En la parte trasera de un taxi, con documentación oficial por triplicado en la mano, me he transformado.

Nos dejan en el vestíbulo principal, un enorme atrio lleno de bambú, flores y pájaros tropicales atados a unas ramas. Nos sentamos en un sofá de mimbre de dos plazas y una acicalada mexicana nos pide los carnés de identidad y fotocopia mi tarjeta de crédito. Después nos atiende un mexicano más longevo con un mechón de cabello dorado echado hacia atrás con unas Ray-Ban con montura de concha.

—¡Bienvenidos! —dice—. Me llamo Johnny Máximo y estoy aquí para explicarles que en Maya del Sol la fantasía se convierte en realidad.

—Eso es justamente lo que esperábamos —replica Broodje.

Johnny sonríe y consulta un papel que lleva en la mano.

—Bien, William y Robert. ¿Es Robert o Bob?

—Robert-Jan en realidad —dice Broodje.

—Robert entonces. ¿Alguna vez han sido propietarios de una residencia de vacaciones?

—No puedo decir que sí.

—¿Y usted, William?

—Más bien me gusta ver mundo.

Johnny se echa a reír.

—A mí también. Ver a todas las mujeres del mundo. Así que imagino que siendo solteros nunca han estado en un club de vacaciones.

—No puedo decir que haya estado en uno, Johnny —dice Broodje.

—Puedo asegurarles que esto es vida. ¿Por qué alquilar las vacaciones cuando pueden ser propietarios de ellas? ¿Por qué vivir media vida cuando pueden vivir una vida entera?

—O dos incluso —sentencia Broodje.

—Esta es una de nuestras piscinas. Tenemos seis —le dice Johnny en tono jactancioso. Está rodeada de *chaise longues* y arbustos en flor. Más allá, el Caribe centellea como si su único propósito fuese ser un telón de fondo—. Las vistas son bonitas, ¿no? —añade entre risas, señalando una hilera de mujeres tomando el sol.

—Mucho —digo, escrutándolas una por una.

—¿A qué se dedica, William?

—Al sector inmobiliario —respondo.

—Ah, entonces ya sabe lo lucrativo que es... —Me pide que me acerque un poco más—. Yo antes era una gran estrella del cine en México —dice con un susurro afectado—. Pero ahora...

—¿Era usted actor? —interrumpo.

Esto lo coge por sorpresa.

—Antes. Pero gano más dinero como propietario aquí del que gané nunca en el negocio del cine.

—¿En qué películas ha actuado? —pregunto.

—En ninguna que usted conozca.

—En Holanda se proyectan muchas películas extranjeras. Póngame a prueba.

—En serio, dudo que haya oído hablar de ellas. Aparecí en una con Armand Assante. La mayoría eran telenovelas.

—¿Telenovelas? Como *Buenos tiempos, malos tiempos*** —dice Broodje con cierto aire de mofa.

—Aquí se las toman muy en serio —responde Johnny sorbiéndose la nariz.

—Está muy bien que pudiera ganarse la vida de esa manera —tercio.

Por un segundo, el semblante de Johnny es inexpresivo. Incluso su bronceado parece desvanecerse, pero luego reacciona.

* Referencia a la telenovela holandesa *Goede Tijden, Slechte Tijden.* (*N. del T.*)

—Eso fue entonces. Ahora gano mucho más dinero. —Junta las manos y se vuelve hacia mí—. Y bien, William ¿qué le gustaría ver?

Señala las instalaciones y por primera vez tengo la corazonada, ínfima pero real, de que podría estar aquí. Es poca cosa, pero por alguna razón es la felicidad más intensa que he sentido en meses.

—Hasta el último centímetro del recinto —respondo.

—Bueno, tenemos más de un kilómetro cuadrado, así que tal vez nos lleve un buen rato, pero me alegro de que esté tan motivado.

—Ni se imagina lo motivado que estoy.

Lo cual es curioso, porque ayer no lo estaba tanto, pero ahora es como si me hubiera metido en el personaje.

—¿Por qué no empezamos por uno de nuestros restaurantes de talla mundial? Tenemos ocho: mexicano, italiano, hamburguesería, sushi...

—Sí —dice Broodje.

—¿Qué tal si nos enseña el más popular, en el que los huéspedes estén comiendo ahora mismo? —propongo—. Me gustaría ver cómo es la gente.

—Entonces sería el Olé, Olé, nuestra cantina al aire libre. Es un bufet.

Broodje sonríe. Bufet. Palabra mágica.

Lulú no está allí, ni en ninguno de los ocho restaurantes que visitamos a lo largo de cinco horas. No está en ninguna de las seis piscinas, en las dos playas, en las doce pistas de tenis, en las dos discotecas, en los tres vestíbulos, en el balneario zen diurno o en los interminables jardines. Tampoco está en el minizoo.

A medida que transcurre el día me doy cuenta de que hay demasiadas variables. Tal vez sea el lugar equivocado. O tal vez sea el lugar correcto en el momento equivocado. O tal vez sea el lugar adecuado en el momento adecuado pero ella estaba viendo la televisión en su habitación cuando yo visité la piscina.

Puede que ahora esté sentada en una de las piscinas mientras yo veo una de las habitaciones de muestra.

O puede que haya pasado junto a ella sin tan siquiera saberlo.

Las buenas sensaciones de hace un rato empiezan a desmoronarse. Podría estar en cualquier parte. Podría no estar en ningún sitio. Y lo peor de todo es que podría estar aquí mismo y que no la reconozca.

Dos chicas en biquini pasan junto a mí pavoneándose y riendo. Broodje me da un codazo pero apenas las miro. Empiezo a pensar que me he creído mi propia mentira, porque lo cierto es que no la conozco. Lo único que sé es que es una chica que guarda cierto parecido con Louise Brooks. Pero ¿qué significa eso? El contorno de una persona; pero eso no es más real que una fantasía proyectada en una pantalla.

17

—Anímate, hombre, ya casi ha llegado el nuevo año.

Esteban me ofrece una botella. Él, José, Broodje, Cassandra y yo vamos apiñados dentro de un taxi, avanzando a paso de tortuga en medio del tráfico vacacional camino de esa fiesta en Puerto Morelos, situado más al norte, de la que me habló Kayla. José y Esteban también la conocen, así que al parecer es visita obligada.

—Sí, venga. Es Año Nuevo —dice Cassandra.

—Y no te irás a casa con las manos vacías si no quieres —dice Broodje—. A diferencia de otros —añade con exagerada autocompasión.

—Pobre Broodje —dice Cassandra—. ¿Lo pronuncio bien?

—Bro-djuh —corrige Broodje, y añade—: Significa «bocadillo».

Cassandra sonríe.

—No te preocupes, chico bocadillo. Nos cercioraremos de que esta noche alguien te dé un mordisco.

—Creo que quiere un mordisco de mi bocadillo —dice Broodje en holandés, sonriendo ante semejante posibilidad. Intento sonreír yo también, pero se acabó. Se acabó desde el Maya del Sol, aunque he comprobado debidamente otros complejos turísticos gracias a José y Esteban, que me indicaron cómo entrar en el Palacio Maya y me consiguieron pulseras para el Maya Vieja. Pero he hecho las cosas mecánicamente. Ni siquiera sé a quién estoy buscando, así que ¿cómo voy a encontrarla?

El taxi se detiene en un tramo de playa sin edificar. Pagamos al conductor y nos encontramos en medio de una escena. Unos enormes altavoces emiten música atronadora y hay centenares de personas desperdigadas por la playa. Todo el mundo parece ir descalzo, a juzgar por los grandes montones de calzado que hay a la entrada de la fiesta.

—A lo mejor puedes encontrar su zapato —dice Cassandra—. Como la Cenicienta. ¿Cómo serían unas sandalias de cristal para la mujer moderna? ¿Qué tal esto? —Coge unas chancletas naranjas brillantes y se las prueba—. Demasiado grandes —dice antes de arrojarlas de nuevo al montón.

—¿Le gustaría bailar, hermosa dama? —pregunta José a Cassandra.

—Por supuesto —responde ella con una sonrisa. Al alejarse, José ya le ha puesto una mano en la cadera.

Broodje se desanima.

—Supongo que su taco era más apetitoso que mi bocadillo.

—No dejas de recordarme que hay muchas chicas. Estoy convencido de que alguna de ellas querrá un bocado.

Y las hay a montones. Cientos de chicas de todas las formas y colores, perfumadas y acicaladas para la fiesta. En cualquier otro Fin de Año sería un comienzo prometedor.

La cola del bar serpentea entre las palmeras y las hamacas. Vamos avanzando poco a poco cuando una chica que luce un sarong, una sonrisa y poco más tropieza conmigo.

—Quieta ahí —le digo, agarrándola del hombro. Hace una reverencia y después bebe un trago de una botella de tequila medio vacía.

—A lo mejor deberías moderarte.

—¿Por qué no me moderas tú?

—De acuerdo.

Le cojo la botella y doy un trago. Luego se la ofrezco a Broodje, que hace lo propio y se la devuelve. La chica la sostiene en alto y la agita para que la larva que contiene se voltee.

—Podéis comeros el gusano si queréis —dice, arrastrando las palabras—. Gusanito, gusanito, ¿puede comerte la chica guapa? —Se lleva la botella a la oreja—. El gusano dice que sí.

—Se acerca un poco más y con un sensual susurro añade—: Yo también.

—En realidad no es un gusano —dice Broodje—. Es una larva de agave.

José es camarero y nos explicó todo esto. Los ojos de la chica son incapaces de enfocar.

—¿Y qué diferencia hay? Gusano, larva. ¿Sabéis qué dicen? Que el pájaro que llega primero se lleva el gusano. —Tiende la botella a Broodje, apoya ambos brazos en mi hombro y me da un beso rápido, húmedo y ebrio en la boca. Después se hace atrás y coge la botella de tequila—. Y el beso también —dice riéndose—. Feliz Año Nuevo.

La observamos mientras se aleja dando bandazos por la arena. Luego Broodje se vuelve hacia mí.

—No recordaba lo que era estar contigo. Cómo eres.

Hace seis meses le habría devuelto el beso a la chica y habría hecho la noche. Puede que Broodje sepa cómo soy, pero yo no.

Cuando conseguimos bebida, Broodje se dirige a la pista de baile y le digo que me reuniré con él más tarde. En la playa, lejos del escenario y de la pista, diviso una pequeña hoguera con un grupo de gente sentada alrededor tocando la guitarra. Voy en esa dirección, pero entonces veo a alguien caminando hacia mí. Es Kayla, de la empresa de alquiler de coches, que me saluda tímidamente, como si no supiera a ciencia cierta si soy yo.

Finjo no serlo y me desvío hacia la orilla. Pese a lo concurrida y caótica que es la fiesta, el agua está sorprendentemente tranquila. Hay algunas personas bañándose. Más adentro está desierta; tan solo se aprecia el reflejo de la luz de la luna. Incluso de noche, el agua es más azul de lo que la imaginaba; es lo único de este viaje que parece cumplir las expectativas.

Me quedo en calzoncillos y empiezo a nadar hasta que llego a una balsa flotante. Me agarro a la madera astillada. El sonido de las guitarras tañendo *Stairway to Heaven* y el pesado bajo de un grupo de reggae reverberan a través del agua. Es una fiesta fantástica, en una playa hermosa, en una noche tranquila y cálida. Antes, todo ello me parecía más que suficiente.

Nado un poco más adentro y me sumerjo. Junto a mí se

deslizan diminutos peces plateados. Extiendo la mano para tocarlos, pero se alejan con tal rapidez que dejan una estela. Cuando no puedo contener más la respiración, salgo a coger aire y oigo al cantante de reggae anunciar: «Falta media hora para el nuevo año, para que todo empiece otra vez. El año nuevo es una tábula rasa.»

Inspiro y vuelvo a sumergirme. Cojo un puñado de arena y la suelto, observando cómo los granos se dispersan bajo el agua. Vuelvo a la superficie.

«Que venga la caricia de la noche antes de besar a tu amor. Guardaré un beso para ti.»

Momentos antes de besarla por primera vez, Lulú dijo una de sus cosas raras: «He escapado del peligro.» Insistió en ello, había fuego en sus ojos, igual que sucedió cuando se interpuso entre los *skinheads* y yo. Me parecieron unas palabras peculiares. Hasta que la besé. Y entonces lo noté, tan visceral y omnipresente como el agua que me rodea ahora mismo. Escapar del peligro. No sé a qué peligro se refería. Lo único que sé es que besar a Lulú me hizo sentir aliviado, como si hubiera aterrizado en algún lugar tras un largo viaje.

Floto boca arriba, admirando el lienzo de un cielo salpicado de estrellas.

«Tábula rasa... momento de hacer borrón y cuenta nueva», entona el cantante.

¿Borrón y cuenta nueva? Tengo la sensación que mi cuenta está demasiado limpia, perpetuamente desnuda. Lo que quiero es lo contrario: un garabato caótico, constelaciones de cosas indelebles que nunca podrán ser borradas.

Tiene que estar aquí. Tal vez no en esta fiesta o en esta playa, o en los complejos turísticos que he visitado, pero sí en algún otro lugar. Nadando en esta agua, la misma en la que me encuentro ahora.

Pero el océano es grande. El mundo lo es aún más. Y quizá nos hemos acercado tanto como podemos.

18

Enero, Cancún

El autobús tiene forma de mono, está lleno de ancianos y no quiero estar aquí. Pero Broodje sí, y después de arrastrarlo por la mitad de los hoteles de la Riviera Maya no voy a discutírselo.

—Primera parada, Coba, y después iremos a una aldea maya. Luego una tirolina. No veo a esta gente en una tirolina —dice Broodje, señalando con la cabeza a nuestros compañeros de viaje, en su mayoría de cabello gris—. Después nos bañaremos en un cenote. Es una especie de lago en una cueva subterránea. Luego iremos a Tulum. —Le da la vuelta al folleto—. Este viaje cuesta ciento cincuenta dólares por persona y hemos venido gratis.

—Humm —digo.

—No lo entiendo. Por un lado eres holandés y por otro israelí. Todo apunta a que eso debería convertirte en el cabrón más tacaño de la Tierra.

—Ajá.

—¿Me estás escuchando?

—Lo siento. Estoy cansado.

—Más bien resacoso. Cuando paremos a comer nos tomaremos unos tequilas. Según T. J., el antídoto es beber más alcohol.

Formo una almohada improvisada con la mochila y apoyo

la cabeza en la ventana. Broodje saca un ejemplar del *Voetbal International*. El autobús arranca con un resoplido y me quedo dormido. No despierto hasta llegar a Coba. Nos apeamos y formamos un pequeño grupo mientras la guía nos habla de las antiguas ruinas mayas, una serie de templos y pirámides aislados que prácticamente se han visto invadidos por los árboles y las enredaderas de la jungla.

—Es excepcional —dice—. Estas son unas de las pocas ruinas por las que todavía se puede pasear. Y también les interesarán la laguna, la iglesia y, por supuesto, los campos de juegos con balón.

Detrás de nosotros, una chica, la única persona de nuestra edad, pregunta:

—¿Campos de juegos con balón? ¿Con qué clase de balones jugaban?

—Era una especie de pelota de baloncesto —responde la guía.

—Ah.

Parece decepcionada.

—¿No te gusta el baloncesto? —pregunta Broodje—. Pensaba que a los estadounidenses os encantaba.

—Juega a fútbol —dice una anciana—. Estaba en la liga estatal en el instituto.

—¡Abuela!

—¿De verdad? ¿En qué posición? —pregunta Broodje.

—Delantera.

—Centrocampista —dice Broodje llevándose la mano al pecho.

Ambos se miran.

—¿Quieres ir a ver los terrenos de juego? —pregunta ella.

—Claro.

—Volved en media hora, Candace —dice la anciana.

—De acuerdo.

Broodje me mira, invitándome a unirme a ellos, pero con un gesto le indico que vaya solo. Cuando el resto del grupo se dirige a la laguna, voy directo a la pirámide de Nohoch Mul y subo los ciento veinte escalones casi verticales hasta la cima. Es mediodía y hace calor, así que apenas hay nadie aquí arriba, tan solo una familia haciendo fotos. Reina una calma suficiente para que el silencio resulte atronador: el susurro de la brisa entre los árboles, el graznido de los pájaros tropicales y el chirrido metálico de los grillos. Una racha de viento cálido levanta una hoja seca y la transporta por encima del follaje de la jungla.

La quietud se ve interrumpida por un par de niños que han empezado a gritar sus respectivos nombres imitando a un pájaro.

—¡Josh! —trina la niña mientras su hermano se ríe.

—¡Allie! —responde supuestamente Josh.

—Joshua, Allison, shhhh —dice su madre, señalándome a mí—. No estáis solos aquí arriba.

Los niños me miran con la cabeza inclinada, como invitándome a gritar un nombre. Levanto las manos y me encojo de hombros, porque en realidad no sé qué nombre quiero gritar. Ni siquiera estoy seguro de que quiera gritarlo ya.

De nuevo junto al autobús-mono, encuentro a Broodje y a Candace compartiendo una Coca-Cola; una botella y dos pajitas. Cuando volvemos a montarnos, me siento al lado de un anciano que viaja solo para que Broodje y Candace puedan acomodarse juntos en nuestra fila. Sonrío al oírlos discutir si el mejor delantero es Van Persie o Messi, y el caballero sentado a mi lado me corresponde con otra sonrisa.

Después de comer, nos detenemos en una aldea maya tradicional y nos brindan la posibilidad de abonar diez dólares por una limpieza espiritual con un sacerdote. Me hago a un lado mientras los demás se turnan debajo de un baldaquín humeante. Luego nos llevan de vuelta al autobús. Las puertas se abren y entran Broodje, Candace, mi compañero de asiento, con sus sandalias y sus calcetines, y la guía. Todo el mundo sube excepto yo.

—Willy, ¿no vienes? —dice Broodje. Me ve titubear junto a la puerta y recorre el pasillo para hablar conmigo—. Willy, ¿va todo bien? ¿Estás enfadado porque me haya sentado con Candace?

—Pues claro que no. Me parece fantástico.

—Vamos.

Realizo los cálculos mentalmente. Candace mencionó que estaría en la ciudad hasta el día 8, más tiempo que nosotros. Broodje tendrá compañía.

—Yo me largo de aquí.

En cuanto lo digo, noto ese alivio que me resulta tan familiar. Cuando estás en la carretera, siempre existe la promesa de que la próxima parada será mejor que la anterior. Broodje adopta un semblante serio.

—¿Piensas quedarte por lo que dije, porque te llevas a todas las chicas? No te preocupes. Creo que a esta le gusto de verdad.

—Estoy seguro de ello, así que deberías aprovecharlo al máximo. Nos vemos en el aeropuerto para el vuelo de regreso.

—¿Qué? Faltan cuatro días y no tienes tus cosas.

—Tengo lo que necesito. Lleva el resto al aeropuerto.

El conductor del autobús arranca. La guía se golpetea el reloj. Broodje parece aterrado.

—No pasa nada —le digo para tranquilizarlo mientras me ciño las correas de la mochila.

—¿No te perderás? —pregunta.

Esbozo una sonrisa tranquilizadora. Pero, por supuesto, la verdad es que eso es exactamente lo que pretendo hacer.

19

Valladolid, México

Después de viajar dos veces en camión haciendo autoestop, me encuentro a las afueras de Valladolid, una pequeña ciudad colonial. Deambulo por la plaza central, llena de edificios bajos en tonos pastel que se reflejan en una fuente de grandes dimensiones, y no tardo en ver un hotel barato.

Comparado con la Riviera Maya, esto parece otro mundo. No es solo por la ausencia de megacomplejos o turistas de fiesta, sino por cómo he llegado hasta aquí. Sin buscar, tan solo encontrando.

No sigo un horario. Duermo cuando estoy cansado y, cuando tengo hambre, compro algo caliente y picante en un puesto de comida. Me quedo despierto hasta bien entrada la noche. No busco a nadie. No hablo con nadie. Después de los últimos meses en Bloemstraat, con los chicos siempre por allí o, si no eran ellos, Ana Lucía, no estoy acostumbrado a la soledad.

Me siento en el borde de la fuente observando a la gente y, durante un minuto, me permito imaginar que Lulú es una de aquellas personas, que realmente huimos a la selva mexicana. ¿Es aquí donde vendríamos? ¿Nos sentaríamos en una cafetería con los tobillos entrelazados y las cabezas juntas como esa pareja que se cubre con un paraguas? ¿Hablaríamos toda la noche, escondiéndonos en algún callejón para robarnos un beso? ¿Nos despertaríamos a la mañana siguiente, desenredaríamos nuestros cuerpos, sacaríamos un mapa, cerraríamos los ojos y decidiríamos adónde ir? ¿O simplemente no saldríamos nunca de la cama?

¡No! ¡Basta! Esto no tiene sentido. Es un camino a ninguna parte. Me levanto, me desempolvo los pantalones y vuelvo al hotel. Tumbado en la cama, volteo una moneda de veinte pesos sobre los nudillos y pondero qué puedo hacer. La moneda cae al suelo y la recojo. Entonces me detengo. Cara, me quedo en Valladolid un día más. Cruz, me voy. Cruz.

No es como señalar el mapa, pero servirá.

A la mañana siguiente bajo la escalera en busca de café. El deslucido comedor está casi vacío: una familia de habla hispana a una mesa y en la esquina, junto a la ventana, una mujer hermosa más o menos de mi edad con el pelo de color óxido.

—Estaba preguntándome una cosa sobre ti —me dice en inglés. Parece estadounidense.

Me sirvo un poco de café del samovar.

—A menudo yo también me pregunto cosas sobre mí —respondo.

—Te vi anoche en los puestos ambulantes. He intentado echarle agallas a esa comida, pero no sabía qué ofrecían ni si acabaría con una gringa como yo.

—Creo que era cerdo. No hago demasiadas preguntas.

—Bueno, a ti no te ha matado —se ríe—. Y lo que no te mata te hace más fuerte.

Permanecemos allí un segundo. Hago un gesto para preguntarle si puedo sentarme al mismo tiempo que ella me invita a hacerlo. Me acomodo delante de ella. A un camarero con un esmoquin raído se le cae un plato de pan dulce mexicano.

—Cuidado —dice la chica, golpeteando su pan duro con una uña pintada de turquesa—. Casi me parto un diente.

Hundo un dedo en él. Suena a tronco vacío.

—Los he comido peores.

—¿Qué eres tú, una especie de aventurero culinario profesional?

—Algo así.

—¿De dónde eres? —Levanta una mano—. No, espera. Déjame adivinar. Di algo más.

—¿Algo más?

Se golpea la sien con un dedo y chasquea los dedos.

—Eres holandés.

—Buen oído.

—Pero no tienes mucho acento.

—Muy buen oído. Me crie hablando inglés.

—¿Has vivido en Inglaterra?

—No, pero a mi madre no le gustaba hablar holandés. Según ella, se parecía demasiado al alemán, así que en casa se hablaba inglés.

La chica mira el teléfono que hay sobre la mesa.

—Sospecho que hay una historia fascinante detrás de todo ello, pero me temo que tendrá que seguir siendo un misterio. —Hace una pausa—. Ya llego tarde.

—¿Tarde para qué?

—Para Mérida. Supuestamente debía estar allí ayer, pero se me estropeó el coche y luego se ha sucedido una comedia de los errores. ¿Y tú? ¿Adónde vas?

Guardo silencio unos instantes.

—A Mérida si me llevas.

—No sé qué cabrearía más a David, que condujera sola o que llevara a desconocidos.

—Willem. —Extiendo el brazo—. Ahora ya no soy un desconocido.

Entrecierra los ojos y me observa la mano.

—Tendrás que trabajártelo más.

—Lo siento. Soy Willem de Ruiter. —Busco en la mochila mi rígido pasaporte nuevo y se lo entrego—. Aquí tienes una identificación.

Ella lo hojea.

—Bonita foto, Willem. Me llamo Kate. Kate Roebling. Y no voy a enseñarte el pasaporte porque la fotografía es muy desafortunada. Tendrás que confiar en mí.

Sonríe y me desliza el pasaporte sobre la mesa.

—De acuerdo, Willem de Ruiter, aventurero culinario y viajero. El taller acaba de abrir, así que iré a recoger el coche. Suponiendo que ya esté listo, saldré en una media hora. ¿Tienes tiempo suficiente para hacer las maletas y prepararte?

Señalo la mochila, que reposa en el suelo junto a mí.

—Yo siempre tengo las maletas preparadas.

Kate me recoge en un todoterreno Volkswagen con un motor que petardea y unos asientos rasgados en los cuales asoma la espuma.

—¿Esto está arreglado? —pregunto al subirme en el coche.

—Es solo cosmético. Deberías haberlo visto antes. El tubo de escape se caía. Lo llevaba literalmente arrastrando y saltaban chispas. Podría haber incendiado la selva entera gracias a este pequeño. No te ofendas. ¿Quién es un chico guapo? —Da una palmada al salpicadero, se vuelve hacia mí y susurra—: Tienes que ser simpático con él o no funcionará.

Me quito un sombrero imaginario en honor al coche.

—Mis disculpas.

—En realidad es un coche espléndido. Las apariencias pueden engañar bastante, ya sabes.

Enciende el motor.

—Sí, ya me había dado cuenta.

—Gracias a Dios. De lo contrario, no tendría trabajo.

—¿Eres atracadora de bancos?

—¡Ja! Soy actriz.

—¿En serio?

Se vuelve hacia mí.

—¿Por? ¿Eres del gremio?

—En realidad no.

Arquea una ceja.

—¿En realidad no? Eso es como estar un poco embarazada. O lo estás o no lo estás.

—¿Qué tal si te digo que lo era, aunque no en serio, y ahora no lo soy?

—¿Necesitabas un trabajo de verdad? —dice comprensiva.

—No, tampoco tengo uno de esos.

—¿Así que solo viajas y comes peligrosamente?

—Más o menos.

—Bonita vida.

—Más o menos. —El coche coge un bache y tengo la sensación de que el estómago impacta en el techo y se precipita abruptamente al suelo—. ¿A qué clase de interpretación te dedicas? —pregunto una vez que he recuperado el equilibrio.

—Soy cofundadora y directora artística de una pequeña compañía teatral de Nueva York llamada Ruckus. Hacemos producciones, pero también tenemos programas de formación y enseñanza.

—No me impresiona en absoluto.

—Lo sé, ¿de acuerdo? Nunca quise ser tan ambiciosa, pero cuando mis amigos y yo nos mudamos a Nueva York, no conseguíamos los papeles que queríamos, así que fundamos una compañía propia y ha acabado creciendo. Producimos algunas obras y damos clases, y ahora hemos emprendido una iniciativa en el extranjero. Por eso hemos venido a México. Estamos celebrando un taller sobre Shakespeare en Mérida, en conjunción con la Universidad Autónoma de Yucatán.

—¿Enseñas Shakespeare en español?

—Bueno, yo no porque no hablo una palabra de español. Trabajaré con angloparlantes. David, mi novio, sí que habla español. Aunque lo curioso es que, incluso cuando interpretamos traducciones de Shakespeare, por algún motivo sé en qué punto de la obra nos encontramos. Tal vez porque las conozco muy bien. O porque Shakespeare trasciende el lenguaje.

Asiento.

—La primera vez que hice Shakespeare fue en francés.

Se vuelve hacia mí. Tiene los ojos verdes, llamativos como las manzanas de otoño, y pecas en el tabique nasal.

—¿Entonces has interpretado a Shakespeare? ¿Y en francés?

—Sobre todo en inglés, por supuesto.

—Oh, por supuesto. —Hace una pausa—. Está bastante bien para no ser un actor serio.

—Yo nunca he dicho que fuera bueno.

Se echa a reír.

—Estoy segura de que lo eras.

—¿De verdad?

—Sí. Tengo un sentido arácnido para esas cosas.

Coge un paquete de chicles, saca uno y me ofrece un trozo. Tiene sabor a polvos talco y a coco y hace que mi estómago, todavía revuelto, se rebele un poco más. Lo escupo.

—Repugnante, ¿verdad? Pero extrañamente adictivo. —Se lleva a la boca otro trozo—. ¿Y cómo es posible que un holandés acabara interpretando a Shakespeare en francés?

—Estaba de viaje, arruinado, en Lyon. Conocí a un grupo shakespeariano llamado Guerrilla Will. Casi siempre actuaban en inglés, pero la directora es un poco... excéntrica y creyó que la manera de aventajar a las otras compañías callejeras era interpretar a Shakespeare en la lengua nativa. Había reunido a un elenco de francoparlantes para interpretar *Mucho ruido y pocas nueces* en Francia. Pero el tipo que hacía de Claudio se marchó para estar con un noruego al que había conocido; todos doblábamos papeles, así que solo necesitaban a alguien que se defendiera en francés. Y yo me defendía.

—¿Nunca habías interpretado a Shakespeare?

—No había actuado en mi vida. Había estado viajando con un grupo de acróbatas. Así que cuando te digo que todo fue por accidente, no hablo en broma.

—Pero ¿hiciste otras obras?

—Sí. *Mucho ruido* fue un desastre, pero la interpretamos cuatro noches antes de que Tor se diera cuenta de ello. Entonces Guerrilla Will volvió al inglés y me quedé. Ganaba bastante.

—Ah, eres uno de esos. Interpretar a Shakespeare solo por dinero —bromea—. Eres una puta.

Me río.

—¿En qué otras obras actuaste?

—*Romeo y Julieta*, claro está. *El sueño de una noche de verano. A buen fin no hay mal principio. Noche de reyes.* Las que gustan a todo el mundo.

—Me encanta *Noche de reyes*; estamos pensando en hacerla el año que viene cuando tengamos tiempo. Acabamos de terminar una temporada de dos años en Broadway con *Cimbelino* y hemos salido de gira. ¿La conoces?

—He oído hablar de ella, pero nunca la he visto.

—Es una obra preciosa, divertida y romántica, y hay mucha música. Al menos como la interpretamos nosotros.

—Nosotros también. Para *Noche de reyes* teníamos un círculo de tambores.

Me mira de soslayo a la vez que mantiene los ojos clavados en la carretera.

—¿Teníamos?

—Tenían. Guerrilla Will.

—Parece que la prostituta se ha enamorado del cliente.

—No. No me enamoré —digo.

—Pero ¿lo echas de menos?

Sacudo la cabeza.

—Lo he dejado atrás.

—Ya veo. —Guarda silencio unos instantes y luego añade—: ¿Te ocurre muy a menudo eso de dejar cosas atrás?

—Puede. Pero solo porque viajo mucho.

Kate interpreta un ritmo sobre el volante, solo audible para ella misma.

—O tal vez viajas mucho porque te permite dejar cosas atrás.

—Es posible.

Después de otro silencio:

—¿Y ahora estás dejando algo atrás? ¿Es lo que te ha traído a la gran metrópolis de Valladolid?

—No. El viento me arrastró hasta allí.

—¿Qué? ¿Como una bolsa de plástico?

—Prefiero verme como un barco. Como un velero.

—Pero los veleros no son arrastrados por el viento; son propulsados por él, que es diferente.

Miro por la ventana. La jungla es omnipresente. Vuelvo a mirarla a ella.

—¿Puedes dejar algo atrás cuando no estás seguro de qué es?

—Puedes dejar atrás absolutamente todo —responde—. Pero suena un poco complicado.

—Lo es —digo—. Complicado.

Kate no responde, y el silencio se prolonga, reluciente, como la carretera que se extiende ante nosotros.

—Y es una larga historia —añado.

—Es un largo trayecto —dice ella.

Hay algo en Kate que me recuerda a Lulú. Tal vez que ambas son estadounidenses, o cómo nos conocimos: durante un viaje, hablando de comida.

O tal vez porque en unas horas no volveré a verla jamás. No hay nada que perder. Así que, mientras conducimos, le cuento la historia de ese día, pero es una versión distinta de la que compartí con Broodje y los chicos. Uno actúa para su público, decía siempre Tor. Quizás ese sea el motivo por el que puedo contarle a Kate las partes de la historia que no confié —no podía— a Broodje y los chicos.

—Era como si me conociera —le digo—. Me conoció al instante.

—¿Cómo?

Le digo a Kate que Lulú pensaba que había huido de ella cuando pasé demasiado rato en la cafetería del tren, que, riéndose histéricamente, me confesó de pronto —un atisbo de su extraña honestidad— que creía que me había bajado del tren.

—¿Ibas a hacerlo? —pregunta Kate con los ojos bien abiertos.

—No, claro que no —respondo. Y es cierto, pero ese recuerdo me avergüenza todavía por lo que iba a hacer después.

—Entonces ¿cómo te veía ella exactamente?

—Me dijo que no entendía por qué la había invitado sin un motivo ulterior.

Kate se echa a reír.

—No creo que querer acostarse con una chica guapa constituya un motivo ulterior.

Quería acostarme con ella, por supuesto.

—Pero ese no era el motivo ulterior. La invité a París porque no quería volver a Holanda aquel día.

—¿Por qué no?

Se me revuelve otra vez el estómago. Bram, desaparecido.

Yael, prácticamente desaparecida. La casa flotante, a falta de una firma para desaparecer. Fuerzo una sonrisa.

—Esa historia es mucho más larga y todavía no he terminado con esta.

Le cuento a Kate la historia de la doble felicidad que me relató Lulú. Le hablo del muchacho chino que estaba de viaje para rendir un examen importante y cayó enfermo por el camino. Del médico rural que cuidó de él. De la hija del doctor, que recitó un extraño verso. Del emperador que, después de que el chico obtuviera un buen resultado en el examen, le dice una misteriosa frase. Del chico, que inmediatamente reconoce la frase como la otra mitad de la que le dijo la chica y la repite; de ese modo, complace al emperador, consigue el trabajo, regresa y se casa con la chica. De la doble felicidad.

«Árboles verdes perfilados contra el cielo bajo la lluvia primaveral mientras el cielo sumía a los árboles en la oscuridad. Flores rojas salpicaban la tierra persiguiendo la brisa mientras la tierra se teñía de rojo después del beso.» Esos fueron los versos. En cuanto Lulú me los recitó, percibí algo instantáneamente familiar en ellos, aunque nunca los había oído, aunque no conocía la historia. Desconocido y familiar. Y en ese momento, era la sensación que tenía con Lulú.

Le digo a Kate que Lulú me preguntó quién cuidaba de mí —como si conociera la respuesta— y que después lo hizo ella misma. Interponiéndose entre los *skinheads* y yo. Lanzándoles aquel libro. Distrayéndolos para que pudiera huir antes de que me hicieran daño. Pero se lo hicieron a ella. Incluso ahora, después de todos estos meses, el recuerdo de la sangre en el cuello que le causó uno de los *skinheads* al arrojarle la botella me pone enfermo. Y me avergüenza. Esto último no se lo digo a Kate.

—Eso fue muy valiente por su parte —dice Kate cuando le cuento lo que hizo Lulú.

Saba solía decir que no es lo mismo valentía que coraje. Valentía era hacer algo peligroso sin pensar. Coraje era enfrentarse al peligro conociendo de sobra los riesgos.

—No —le digo a Kate—. Tuvo coraje.

—Ambos lo tuvisteis.

Pero yo no. Porque intenté mandar a Lulú de vuelta. Cobardemente. Y luego no conseguí hacerlo. Cobardemente. Tampoco le cuento esta parte a Kate.

—Entonces ¿a qué has venido a México? —pregunta.

Pienso en los chicos. Creen que estoy aquí para vacunarme. Para buscar a Lulú, acostarme con ella unas cuantas veces más y seguir adelante.

—No sé... A buscarla. Como mínimo a dejar las cosas claras.

—¿Qué cosas? Le dejaste una nota.

—Sí, pero... —Estoy a punto de decirlo, pero me contengo.

—Pero ¿qué? —pregunta Kate.

—Pero... No volví —termino.

Kate me mira durante un largo momento. El coche empieza a desviarse de la carretera hasta que centra de nuevo su atención en el volante.

—Willem, por si no lo habías notado, Cancún está en esa dirección. —Señala en sentido opuesto. Yo asiento—. Las posibilidades de que encuentres a esa chica ya parecen bastante remotas sin que vayas a otra ciudad.

—No iba a ocurrir. Lo sabía.

—¿Cómo lo sabías?

—Porque uno nunca encuentra las cosas cuando las busca. Las encuentra cuando no las busca.

—Si eso fuera cierto, nadie encontraría nunca las llaves.

—Las llaves no. Cosas más importantes.

Kate suspira.

—No lo entiendo. Por un lado, pones toda esa fe en esos accidentes tuyos y, por otro, descartas la posibilidad de que algún día se produzca uno.

—No la he descartado. He venido hasta Cancún.

—Y rápidamente te fuiste a Mérida.

—No iba a encontrarla con solo mirar. —Sacudo la cabeza. Cuesta explicar esta parte—. No tenía que ser.

—No tenía que ser —dice Kate despectivamente—. Lo siento, pero me cuesta creer todas esas supersticiones. —Empieza a agitar los brazos y tengo que agarrar el volante hasta que vuelve a cogerlo—. Nada sucede sin intención, Willem. Nada.

¿Esa teoría tuya de que la vida se rige por accidentes no es una gran excusa para ser pasivo?

Pretendo discrepar, pero entonces me viene a la cabeza la imagen de Ana Lucía. Lugar adecuado en el momento adecuado. Entonces parecía un accidente fortuito. Ahora se antoja más bien una rendición.

—¿Cómo explicarías lo nuestro? —Nos señalo a ambos—. Ahora mismo, aquí, manteniendo esta conversación, si no es por accidente, si no fuera porque se te estropeó el tubo de escape y te dejó en Valladolid, donde yo no debía estar. —No menciono que la moneda al aire fue un factor decisivo, aunque ello respaldaría mi argumento.

—Huy no, no te enamores de mí. —Se echa a reír y se da un golpecito en el anillo—. Mira, yo no descarto la mano mágica del destino. Al fin y al cabo soy actriz, y shakespeariana nada menos. Pero no puede ser la fuerza que rija tu vida. Tienes que ser el piloto. Y, por cierto, sí, estamos manteniendo esta conversación porque mi coche —coche bonito, coche guapo, habla como a los niños pequeños, acariciando el salpicadero— tuvo problemas mecánicos. Pero fuiste tú quien me pidió que lo llevara, quien me convenció de que lo llevara, así que estás desacreditando tu propia teoría. Fue pura voluntad, Willem. A veces, el destino, la vida o como quieras llamarlo, deja una puerta entreabierta y la cruzas. Pero a veces la cierra y tienes que encontrar la llave, forzar la cerradura o echarla abajo. Y a veces ni siquiera te enseña la puerta y tienes que construirla tú mismo. Pero si sigues esperando a que te las abran...

—¿Qué?

—Creo que te costará encontrar la felicidad única. No hablemos ya de esa doble porción.

—Empiezo a dudar que exista siquiera esa doble felicidad —digo, pensando en mis padres.

—Por eso estás buscándola. La duda es parte de la búsqueda. Igual que la fe.

—¿No son contrarios?

—A lo mejor son solo dos partes del pareado.

Eso me recuerda a algo que solía decir Saba: «una verdad y

su contrario son dos caras de la misma moneda.» No le había encontrado el sentido hasta ahora.

—Willem, en el fondo sospecho que sabes exactamente por qué estás aquí, exactamente lo que quieres, pero no estás dispuesto a comprometerte, ni con el hecho de querer ni mucho menos con el de tener. Porque ambas proposiciones son aterradoras.

Se vuelve hacia mí y me lanza una mirada larga y mordaz que se prolonga unos instantes, y el coche empieza a desviarse. De nuevo, cojo el volante y lo enderezo. Ella lo suelta por completo y lo sostengo con ambas manos.

—Mira, Willem. Has cogido el volante.

—Para impedir que nos estrellemos.

—O también podrías decir: para impedir que suframos un accidente.

20

Mérida, México

Mérida es una versión más grande de Valladolid, una ciudad colonial pintada en tonos pastel. Kate me deja frente a un edificio histórico de color melocotón que, según ha oído, es un hostal decente. Reservo una habitación con un balcón que da a la plaza y me siento a observar a la gente cobijándose del sol vespertino. Las tiendas están cerrando para la siesta y, si bien tenía planeado explorar la zona y buscar algo para comer, no tengo hambre. Estoy un poco mareado de viajar toda la mañana y tengo la sensación de que mi estómago sigue en esa autopista llena de baches. Decido dormir yo también una siesta.

Me despierto empapado en sudor. Fuera ha oscurecido, y el aire de mi habitación está inmóvil y viciado. Me incorporo para abrir la ventana o la puerta del balcón, pero al hacerlo me dan arcadas. Vuelvo a tumbarme en la cama y cierro los ojos, deseando dormirme otra vez. A veces logro engañar a mi cuerpo para que sane antes de darse cuenta de que algo va mal. A veces funciona.

Pero esta noche no. Creo que el cerdo con salsa marrón que cené ayer y su recuerdo me revuelven el estómago, como si hubiese un pequeño animal salvaje atrapado en su interior.

Debe de ser una intoxicación alimenticia. Suspiro. De

acuerdo. Unas horas de malestar y luego dormiré. Entonces habrá pasado. Todo consiste en lograr conciliar el sueño.

No estoy seguro de la hora que es, así que ignoro cuánto tardará en salir el sol, pero, cuando lo hace, no he pegado ojo. He vomitado tantas veces que el cubo de basura de plástico está casi lleno. Intenté arrastrarme en varias ocasiones hasta el baño compartido que hay al fondo del pasillo, pero no llegué más allá de la puerta. Ahora que ha salido el sol, la habitación está calentándose. Casi alcanzo a ver los humos tóxicos brotando de la papelera, envenenándome otra vez.

Sigo vomitando. No hay tregua ni alivio entre un acceso y otro. Vomito hasta que no queda nada: ni comida, ni bilis ni, por lo visto, nada de mí.

Entonces empiezo a tener sed. Hace mucho que me he bebido el agua de la botella y que la he vomitado. Empiezo a fantasear con arroyos de montaña, cascadas, aguaceros e incluso el canal holandés; bebería de ellos si pudiera. Venden agua embotellada en el piso de abajo. Y hay un grifo en el lavabo, pero no puedo incorporarme, y mucho menos levantarme y llegar hasta donde está el agua.

«¿Hay alguien ahí?», digo. En holandés. En inglés. Intento recordarlo en español, pero las palabras se mezclan. Creo que estoy hablando, pero no lo sé con certeza. Hay mucho ruido en la plaza y mi voz no tiene la más mínima oportunidad.

Aguzo el oído por si alguien llama a la puerta y rezo para que me ofrezcan agua, sábanas limpias, una compresa fría o una mano suave en la frente. Pero no llega. Este es un hostal básico sin servicio de habitaciones, y he pagado dos noches por adelantado.

Sobrevienen de nuevo las arcadas. No sale nada, excepto lágrimas. Tengo veintiún años y todavía lloro cuando vomito.

Finalmente, el sueño viene al rescate. Y cuando despierto la veo muy cerca, y lo único que puedo pensar es: «ha valido la pena si te ha traído».

«¿Quién cuida ahora de ti?», susurra. Su aliento parece una brisa fresca.

«Tú —respondo yo—. Tú cuidas de mí.»

«Seré tu chica de montaña.»

Intento tocarla, pero ha desaparecido y en la habitación están todas las demás: Céline, Ana Lucía, Kayla, Sara y la chica del gusano. Y todavía hay más: una Franke en Riga, una Gianna en Praga, una Jossra en Túnez. Todas empiezan a hablarme.

«Nosotras cuidaremos de ti.»

«Marchaos. Quiero a Lulú. Decidle que vuelva.»

«Tortugas verdes, sangre roja, cielo azul, doble felicidad, la-la-la», canturrean.

«¡No! No dice así. La doble felicidad no es así.»

Pero yo tampoco recuerdo cómo es.

«Ella te ha dejado en ese estado.»

«Yo cuidaré de ti.»

«Zorra francesa.»

«Llámame si necesitas algo.»

«¿Quieres compartir conmigo?»

«¡Basta ya!», grito.

«¡Coge el volante!» Ahora es Kate quien grita, pero no veo ningún volante y, como en los sueños, me invade la espantosa sensación de que voy a estrellarme.

«¡No, basta! ¡Marchaos todas! No sois reales. ¡Ninguna de vosotras! Ni siquiera Lulú.» Cierro los ojos con fuerza, me tapo los oídos con la almohada empapada en sudor y me sitúo en posición fetal. Y, finalmente, finalmente, me quedo dormido.

Me despierto. Tengo la piel fría. El cielo es púrpura. No estoy seguro de si está anocheciendo o amaneciendo ni de cuánto tiempo he estado dormido. Tengo coherencia suficiente para saber que supuestamente debo regresar pronto a Cancún para reunirme con Broodje y poner rumbo a Holanda, y he de comunicarme con él como sea y decirle que tal vez tenga que marcharse sin mí. Saco las piernas por un lado de la cama. La habitación oscila ante mis ojos, pero no se tambalea. Apoyo los pies. Me levanto. Como un niño o un hombre muy longevo, voy caminando paso a paso hasta el vestíbulo.

En la esquina hay un cibercafé donde puedes realizar llamadas de larga distancia. Tengo la sensación de que he estado en la oscuridad durante meses y las luces de todos esos monitores me molestan mucho. Entrego dinero, pido un teléfono y me guían hasta una hilera de ordenadores con un terminal. Abro mi agenda y se cae la tarjeta de Kate, con RUCKUS THEATER COMPANY impreso en letras rojas en la parte superior.

Empiezo a marcar. Los dígitos aparecen en pantalla y no estoy seguro de si he introducido el prefijo correcto o si he marcado bien.

Pero se oye un sonido metálico y después una voz: lejana, como salida de un túnel, pero inconfundiblemente suya. En cuanto la oigo se me cierra la garganta.

—¿Hola? ¿Hola? ¿Quién es?

—¿Mamá? —logro farfullar.

Silencio. Y cuando pronuncia mi nombre me dan ganas de llorar.

—Mamá —repito.

—Willem, ¿dónde estás?

Su voz es nítida, oficiosa, tan profesional como siempre.

—Estoy perdido.

—¿Perdido?

Ya lo había estado antes, en nuevas ciudades sin monumentos conocidos que me orientaran, despertándome en camas extrañas sin saber dónde estaba o qué me deparaba el futuro. Pero ahora me doy cuenta de que no estaba perdido. Era otra cosa. Esto... Puede que sepa exactamente dónde estoy —en un hostal, en la plaza central de Mérida, México—, pero jamás me he sentido tan absolutamente desubicado.

Se escucha un largo silencio y temo que se haya cortado la llamada. Pero entonces Yael dice:

—Ven conmigo. Te mandaré un billete. Ven conmigo.

No es lo que yo quería oír. Lo que quiero —lo que anhelo— es que me diga que vaya a casa.

Pero no puede decirme que vaya a un lugar que ya no existe, como yo tampoco puedo ir a ese lugar. Por el momento, esto es lo mejor que podemos hacer.

21

Febrero, Bombay, India

Emirates 148
13 feb.: salida 14.40 Ámsterdam – 00.10 Dubai
Emirates 504
14 feb.: salida 03.55 Dubai – 08.20 Bombay
Que tenga un buen viaje.

Este correo electrónico, que contiene mi itinerario, consti-
tuye el grueso de mis comunicaciones con Yael desde mi vuelta
de México el mes pasado. Cuando regresé de Cancún, un amable agente de viajes llamado Mukesh llamó para solicitar una
copia de mi pasaporte. Una semana después recibí el itinerario
de Yael. Apenas he tenido noticias suyas desde entonces.
    Intento no buscar demasiadas interpretaciones. Yael es así.
Y yo de otra manera. La explicación más caritativa es que está
reservándose las conversaciones triviales para que tengamos
algo que decirnos durante las siguientes... ¿Dos semanas, un
mes, seis semanas? No estoy seguro. No lo hemos hablado.
Mukesh me dijo que el billete era válido por tres meses y que si
quería ayuda para reservar vuelos dentro de India o para salir
de allí debía ponerme en contacto con él. Tampoco intento buscar demasiadas interpretaciones a eso.
    En la cola de inmigración soy un manojo de nervios. La
tableta de Toblerone del *duty-free* (era para Yael) que acabé

comiéndome cuando el avión descendía sobre Bombay probablemente no haya ayudado. A medida que avanza la cola, una india impaciente me empuja con su prodigiosa barriga envuelta en un sari, como si eso fuese a hacernos ir más deprisa. A punto estoy de cambiarle el sitio para que deje de empujar. Y para que vayamos más lentos.

Cuando salgo al vestíbulo de llegadas del aeropuerto, la escena parece a la vez de la era espacial y los tiempos bíblicos. Las instalaciones son modernas y nuevas, pero el vestíbulo está atestado de gente que parece cargar con toda su vida en carros metálicos. En cuanto salgo de aduanas, sé que Yael no está aquí. No es que no la vea, lo cual es cierto. Es que me doy cuenta, con demora, de que nunca dijo que me recogería. Simplemente lo di por sentado. Y con mi madre no hay que dar nunca nada por sentado.

Pero han pasado más de tres años. Y me invitó a venir. Recorro el vestíbulo de arriba abajo. Alrededor de mí la gente se arremolina y empuja, como si se dirigiera a una meta invisible. Pero Yael no está.

Siempre optimista, voy al exterior para comprobar si está esperando allí. La brillante luz de la mañana me hace daño en los ojos. Espero diez minutos. Quince. Ni rastro de mi madre.

Está librándose una lucha de gladiadores entre taxistas y maleteros, que pugnan por conseguir clientela. «Psst», me susurran. Observo el itinerario, ahora flácido en mi mano, como si pudiera ofrecer información fundamental.

—¿Vendrá alguien a recogerte?

Delante de mí hay un hombre. O un chico. Algo a medio camino entre ambos. Parece tener más o menos mi edad, a excepción de sus ojos, que son viejos.

Recorro una vez más el lugar con la mirada.

—Por lo visto no.

—¿Necesitas chófer?

—Por lo visto sí.

—¿Adónde vas?

Recuerdo la dirección de los formularios de inmigración que acabo de rellenar por triplicado.

—Al Bombay Royale, en Colaba. ¿Lo conoces?

El chico hace un gesto con la cabeza, algo entre asentir y negar, que no resulta muy tranquilizador.

—Yo te llevo.

—¿Eres chófer?

Vuelve a menear la cabeza.

—¿Dónde está tu maleta?

Señalo la pequeña mochila que llevo a la espalda y se echa a reír.

—Igual que Kurma.

—¿La comida?

—No. Eso es korma. Kurma es una de las encarnaciones de Vishnú, una tortuga que lleva su casa a la espalda. Pero si te gusta el korma, puedo enseñarte un lugar donde lo hacen muy bueno.

El chico se presenta como Prateek y me guía con aplomo a través de la multitud, pasando por el aparcamiento del aeropuerto hasta llegar a una explanada polvorienta. A un lado discurren las pistas y al otro hay unos edificios altos y unas grúas todavía más imponentes que se balancean con el viento. Prateek localiza el coche, un modelo que en mi país podría describirse como antiguo, pero, cuando se lo digo a modo de cumplido, hace un mohín y me cuenta que pertenece a su tío y que algún día se comprará uno, un buen coche fabricado en el extranjero, un Renault o un Ford, no un Maruti o un Tata. Entrega unas monedas a un muchacho delgaducho y cubierto de polvo que custodiaba el vehículo y abre la puerta trasera. Dejo la mochila e intento abrir la puerta del acompañante. Prateek me pide que espere, y con una complicada secuencia de tirones y giros, la abre desde dentro y aparta un montón de revistas del asiento.

El coche arranca y la pequeña estatua de latón pegada al salpicadero —un pequeño elefante con una especie de sonrisa de las personas perpetuamente alegres— empieza a danzar.

—Ganesha —dice Prateek—. El que derriba obstáculos.

—¿Dónde estabas el mes pasado? —pregunto a la estatua.

—Estaba aquí mismo —responde Prateek con solemnidad.

Abandonamos las inmediaciones del aeropuerto y pasamos

junto a unas barracas antes de subir a una autopista elevada. Saco la cabeza por la ventanilla. Hace un calor agradable, pero hará mucho más, advierte Prateek. Todavía es invierno y las temperaturas aumentarán hasta que lleguen los monzones en junio.

Durante el trayecto, Prateek va señalando los monumentos. Un templo famoso. Un enmarañado puente colgante que cruza la bahía de Mahim.

—Muchas estrellas de Bollywood viven en esta zona, cerca de los estudios, que están al lado del aeropuerto. —Señala hacia atrás—. Aunque algunas viven en Juhu Beach y otras en Malabar Hill. Hay algunas incluso en Colaba, donde te hospedas tú. Allí está el hotel Taj Mahal. Angelina Jolie, Brad Pitt, Roger Moore, cero-cero-siete. Todos los presidentes de Estados Unidos se han hospedado allí también.

El tráfico empieza a intensificarse. Aminoramos y Ganesha deja de bailar.

—¿Cuál es tu película favorita? —pregunta Prateek.

—Es difícil elegir solo una.

—¿Cuál es la última que has visto?

Di un vistazo a media docena de películas durante los vuelos, pero estaba demasiado ansioso para concentrarme en ninguna. Supongo que la última que vi completa fue *La caja de Pandora*. Esa fue la película que lo precipitó todo, la que desembocó en el desastroso viaje a México que, curiosamente, me ha traído hasta aquí. Lulú. Si antes estaba lejos, ahora lo está más. No nos separa uno, sino dos océanos.

—No conozco esa película —dice Prateek sacudiendo la cabeza—. Mi favorita del año pasado sería un empate. *Bandas de Wasseypur*. Un thriller. Y *Londres, París, Nueva York*. ¿Sabes cuántas películas producen los estudios de Hollywood al año?

—Ni idea.

—A ver si lo adivinas.

—Mil.

Prateek frunce el ceño.

—Hablo de los estudios, no de un aficionado con una cámara. Mil sería imposible.

—¿Cien?

Su sonrisa aparece como activada por un interruptor.

—¡Erróneo! Cuatrocientas. ¿Sabes cuántas películas produce Bollywood cada año? No te pediré que lo adivines porque te equivocarás. —Hace una pausa para mayor efecto dramático—. ¡Ochocientas!

—Ochocientas —repito, porque está claro que cree que la ocasión lo merece.

—¡Sí! —Ahora sonríe de oreja a oreja—. El doble que Hollywood. ¿Sabes cuánta gente va cada día al cine en India?

—Tengo la impresión de que acabarás diciéndomelo.

—Catorce millones de personas. ¿Ocurre lo mismo en Alemania?

—No lo sé. Yo soy holandés. Pero teniendo en cuenta que la población apenas supera los dieciséis millones, lo dudo.

Está henchido de orgullo.

Salimos de la autopista y nos adentramos en las calles de lo que debe de ser el Bombay colonial. Doblamos por una zona de arboledas y veo una hilera de autobuses de dos pisos estacionados que escupen humo negro.

—Esa es la Puerta de India —dice Prateek, señalando un arco tallado a orillas del mar de Arabia—. El hotel Taj Mahal del que te hablé —añade al pasar junto a un gigantesco hotel de fantasía, todo cúpulas y cornisas. Un grupo de árabes con holgadas túnicas blancas se apiñan en varios todoterrenos con los cristales tintados—. Dentro hay un Starbucks. —Su voz queda reducida a un susurro—. ¿Alguna vez has tomado café en un Starbucks?

—Sí.

—Mi primo dice que en Estados Unidos lo toman con todas las comidas. —Se detiene frente a otro edificio grisáceo de estilo victoriano que, a juzgar por su aspecto, también suda a causa del calor. El cartel, con una elaborada cursiva descolorida, dice BO BAY RO AL—. Aquí lo tenemos. El Bombay Royale.

Sigo a Prateek por un vestíbulo oscuro, frío y silencioso, salvo por el zumbido y el crujido de los ventiladores de techo y el tenue chirrido de los grillos que anidan en las paredes. Detrás de una larga mesa de caoba duerme un hombre tan anciano que parece que esté aquí desde la construcción del edificio. Prateek hace sonar el timbre ruidosamente y se despierta sobresaltado.

Inmediatamente, ambos se ponen a discutir, sobre todo en hindi, pero con alguna que otra palabra en inglés aquí y allá.

—Son las normas —insiste el anciano.

Finalmente, Prateek se vuelve hacia mí.

—Dice que no puedes hospedarte aquí.

Sacudo la cabeza. «¿Por qué me ha traído a este lugar? ¿Por qué he venido?»

—Es un club residencial privado, no un hotel —explica Prateek.

—Sí, ya había oído hablar de ellos.

Prateek frunce el ceño.

—Hay otros hoteles en Colaba.

—Pero tiene que ser este. —Esta es la dirección que tengo desde hace años—. Mire por el nombre de mi madre. Yael Shiloh.

Al mencionar su nombre, el hombre alza la cabeza.

—¿Willem *saab*? —pregunta.

—Willem. Sí, ese soy yo.

Entrecierra los ojos y me coge de las manos.

—No te pareces en nada a la *memsahib* —dice.

No es necesario conocer el significado de esa palabra para saber de qué habla. Es lo que dice todo el mundo.

—Pero ¿dónde está? —pregunta.

Percibo un atisbo de consuelo. No soy el único que no sabe nada.

—Bueno, ya la conoce —digo.

—Sí, sí, sí —responde él, realizando con la cabeza el mismo gesto indefinido que Prateek.

—Entonces ¿puedo ir a su piso? —pregunto al anciano.

Lo medita, rascándose el incipiente vello gris que le asoma en la barbilla.

—Las normas estipulan que solo pueden hospedarse aquí los miembros. Cuando *memsahib* le haga miembro, lo será.

—Pero no está aquí —tercia Prateek muy útilmente.

—Son las normas —dice el anciano.

—Usted sabía que yo vendría —replico.

—Pero no vienes con ella. ¿Y si no eres quien dices ser? ¿Tienes alguna prueba?

¿Una prueba? ¿Cuál? ¿Un apellido? El mío es distinto. ¿Fotografías?

—Aquí tiene —digo, sacando los correos electrónicos, que ahora están húmedos y arrugados.

Los mira con unos ojos oscuros que se han vuelto lechosos con la edad. Debe de haber llegado a la conclusión de que con eso basta, porque asiente dos veces y dice:

—Bienvenido, Willem *saab*.

—Por fin —dice Prateek.

—Soy Chaudhary —anuncia el anciano, ignorando a Prateek y ofreciéndome un montón de papeles para que los rellene. Cuando termino, se dirige a la abertura del mostrador y empieza a recorrer el rasguñado pasillo de madera. Le sigo. Prateek echa a andar detrás de nosotros. Cuando llegamos a los ascensores, Chaudhary hace un ademán negativo con los dedos a Prateek.

—El ascensor es solo para miembros —le indica—. Sube por la escalera.

—Pero va conmigo —digo.

—Son las normas, Willem *saab*.

Prateek sacude la cabeza.

—Creo que debería devolverle el coche a mi tío —dice.

—De acuerdo, deja que te pague.

Saco un fajo de rupias mugrientas.

—Trescientas rupias sin aire acondicionado. Cuatrocientas con —dice Chaudhary—. Es la ley.

Entrego a Prateek quinientas rupias, más o menos lo que cuesta un bocadillo en mi país, y se da la vuelta para marcharse.

—Eh, ¿qué hay de ese korma? —le pregunto.

Su sonrisa es bobalicona, un tanto similar a la de Broodje.

—Estaremos en contacto —promete.

El ascensor sube a trompicones hasta la quinta planta. Chaudhary abre la puerta y salimos a un pasillo bien iluminado, que huele a pulimento de cera e incienso. Pasamos junto a una serie de puertas hechas de listones de madera, nos detenemos frente a la última y saca una llave maestra.

Al principio tengo la sensación de que el hombre se ha equivocado de habitación. Yael lleva dos años viviendo aquí, pero estas habitaciones están vacías. Voluminosos muebles de madera anónimos y cuadros genéricos de fortalezas del desierto y tigres de Bengala en la pared. Una pequeña mesa redonda al lado de dos puertas francesas.

Y entonces lo huelo. Entre los aromas antagónicos de cebolla, incienso, amoniaco y cera se adivina el inconfundible olor a cítrico y tierra húmeda. Es el aroma de mi madre, que distingo con la claridad de algo que conozco desde siempre pero nunca antes he necesitado reconocer.

Doy un paso dubitativo y me alcanza otra oleada. Y, de repente, no estoy en India, sino en Ámsterdam, en casa, durante un largo crepúsculo veraniego. Finalmente había cesado de llover y Yael y Bram estaban fuera celebrando el pequeño milagro del sol. Todavía sentía el frío de la lluvia, así que permanecí acurrucado bajo una rasposa manta de lana y los observé a través de la gran ventana panorámica. Unos estudiantes que vivían en un piso situado al otro lado del canal tenían la música puesta a todo volumen. Se oía una canción, algo antiguo y *new wave*, de cuando Yael y Bram eran más jóvenes, y él la agarró y se pusieron a bailar juntando las cabezas, aunque no era lenta. Los contemplé a través del cristal, con la mirada clavada en ellos, fingiendo no estar. Debía de tener once o doce años, una edad en la que tales muestras deberían haberme ruborizado, pero no lo hicieron. Yael me vio y —esto es lo que me sorprendió entonces y lo que sigue sorprendiéndome al recordarlo— entró. No me arrastró ni me invitó a bailar con ellos como tal vez habría hecho Bram. Simplemente dobló la manta y me agarró del codo. Me vi envuelto en su olor a naranjas y hojas, ese omnipresente y margoso sabor de sus tinturas, y el de los canales y sus turbios secretos. Fingí que estaba cediendo, permitiendo que me arrastrara, sin dar muestra alguna de lo feliz que me sentía. Pero no debí de ser capaz de contenerlo del todo, porque me sonrió y me dijo: «Tenemos que aprovechar el sol cuando sale, ¿no te parece?»

Podía ser así de cariñosa. Pero iba y venía con tanta regularidad como el sol holandés. Excepto con Bram. Pero tal vez era un cariño reflejado. Él era su sol, al fin y al cabo.

Cuando Chaudhary se va, me tumbo en el sofá. Tengo la cabeza incómodamente apoyada en el duro reposabrazos de madera, pero no me muevo, porque estoy al sol y el calor me parece necesario, como una especie de transfusión. «Probablemente debería ponerme en contacto con Yael», pienso, pero la modorra, el *jet lag* y una especie de alivio me impiden levantarme, y antes de que pueda quitarme siquiera los zapatos, me he quedado dormido.

Estoy volando otra vez. De nuevo en un avión, una mala sensación, ya que acabo de descender de uno. Pero es tan gráfico y real que tardo un poco más de lo normal en reconocerlo como el sueño; y entonces se retuerce y se vuelve estridente, surrealista, pesado y lento, como hacen los sueños cuando tu mente se rebela contra un reloj corporal que se siente traicionado. Tal vez por eso en este sueño no hay aterrizaje. No se ilumina el indicador del cinturón de seguridad ni llega un anuncio inaudible del capitán. Tan solo el zumbido de los motores y la sensación de estar en el aire, volando.

Pero hay alguien junto a mí. Me vuelvo e intento preguntar dónde estamos, pero todo es pesado y lúgubre. No consigo articular, porque lo que sale es: «¿Quién eres?»

—Willem —dice una voz lejana.

La persona del sueño se da la vuelta. Todavía no tiene rostro. Ya me resulta familiar.

—Willem —dice de nuevo la voz. No respondo. No quiero que el sueño se acabe todavía, esta voz no. Me vuelvo otra vez hacia mi compañero de asiento.

—¡Willem!

En esta ocasión la voz es nítida y me arranca de la miel pegajosa del sueño.

Abro los ojos, me incorporo y, por un segundo, solo nos miramos, parpadeando.

—¿Qué estás haciendo aquí? —pregunta ella.

Llevo preguntándome eso un mes, después de que el optimismo inicial ante este viaje se convirtiera en ambivalencia y luego en pesimismo, y de que ahora haya quedado reducido al arrepentimiento. ¿Qué estoy haciendo aquí?

—Me enviaste un billete.

Intento que suene a broma, pero todavía me siento embotado por el sueño y Yael se limita a fruncir el ceño.

—Me refiero a qué haces aquí. Hemos estado buscándote por todo el aeropuerto.

¿Hemos?

—No te he visto.

—Me necesitaban en la clínica. Envié a un chófer y llegué un poco tarde. Dice que te mandó varios mensajes.

Saco el teléfono y lo enciendo. No ocurre nada.

—Creo que aquí no funciona.

Yael observa el teléfono con disgusto y me invade una repentina e intensa lealtad hacia él. Luego suspira.

—Lo importante es que has llegado —dice, lo cual resulta a la vez obvio y optimista.

Me levanto. Noto un calambre en el cuello, y al voltearlo cruje sonoramente. Yael vuelve a fruncir el ceño. Me estiro y contemplo la habitación.

—Bonito piso —digo, continuando con la conversación banal que nos ha sostenido los últimos tres años—. Me gusta cómo lo has dejado.

Intentar hacerla sonreír es como un acto reflejo. Nunca me ha funcionado y tampoco lo hace ahora. Yael abre las cristaleras que dan al balcón, con vistas a la Puerta de India y el agua.

—Probablemente debería buscar algo más cerca de Andheri, pero por lo visto me he acostumbrado demasiado a vivir junto al agua.

—¿Andheri?

—Es donde está la clínica —dice, como si tuviera que saberlo.

Pero ¿cómo exactamente? Las conversaciones acerca de su

trabajo han estado estrictamente prohibidas en nuestros correos informales. El clima. La comida. Los abundantes festivales indios. Son postales sin las hermosas fotografías.

Sé que Yael vino a India a estudiar medicina ayurvédica. Era lo que ella y Bram tenían intención de hacer cuando yo ingresara en la universidad. Viajar más. Para que Yael estudiara métodos de curación tradicional, India había de ser la primera parada. Compraron los billetes antes de la muerte de Bram.

Una vez que falleció, esperaba que Yael se viniera abajo. Pero esta vez yo estaría allí. Dejaría de lado mi tristeza y la ayudaría. Finalmente, en lugar de ser un intruso en su historia de amor, sería el producto de ella. Sería un consuelo para ella. Lo que ella no era como madre lo sería yo como hijo.

Durante dos semanas se confinó en la habitación del piso de arriba, la que le construyó Bram, con las persianas bajadas y la puerta cerrada, ignorando a la mayoría de los visitantes que pasaban por allí. En vida, Bram había sido todo suyo, y en la muerte eso no había cambiado.

Seis semanas después partió hacia India tal como estaba previsto, como si nada hubiera ocurrido. Marjolein decía que Yael estaba lamiéndose las heridas, que volvería pronto.

Sin embargo, transcurridos dos meses, Yael anunció que no pensaba volver. Hace mucho, antes de que estudiara naturopatía, tenía el título de enfermera, y ahora volvería a ejercer en una clínica de Bombay. Dijo que cerraría el barco; ya había guardado en cajas las cosas importantes y vendería todo lo demás. Yo debía coger lo que quisiera. Preparé unas cuantas cajas y las dejé en la buhardilla de mi tío Daniel. Todo lo demás se quedó allí. Poco después me echaron del curso. Entonces preparé mi mochila y me fui.

—Eres igual que tu madre —me dijo Marjolein con cierto pesar cuando le anuncié que me marchaba.

Pero ambos sabíamos que no era cierto. No me parezco en nada a mi madre.

La misma emergencia que impidió a Yael ir al aeropuerto al parecer la arrastra de nuevo a la clínica tras una hora en mi compañía. Me invita a ir con ella, pero es una invitación poco entusiasta o natural, sospecho que muy similar a cuando me pidió que viniera a India. La rehúso educadamente bajo el pretexto del *jet lag*.

—Deberías salir a tomar el sol; es la mejor cura. —Me mira—. Pero procura taparte eso. —Se toca la cara en el mismo lugar que ocupa mi cicatriz—. Parece reciente.

Me llevo la mano a la cicatriz. Hace ya seis meses. Y por un minuto me imagino contándoselo a Yael. Se pondría furiosa si supiera lo que les dije a los *skinheads* para que dejaran a las chicas y desviaran su atención hacia mí. Un «uno cuatro seis cero tres» —el número de identificación que los nazis tatuaron a Saba en la muñeca—, pero al menos lograría provocar una reacción.

Pero no se lo cuento. Eso no sería una conversación banal. Ahondaría en cosas dolorosas que nunca mencionamos: Saba. La guerra. La madre de Yael. Toda su infancia. Me toco la cicatriz. Está caliente, como si el mero hecho de pensar en aquel día la hubiera inflamado.

—No es tan reciente —le digo—. Pero no se cura bien.

—Puedo prepararte un compuesto.

Yael frota la cicatriz. Sus dedos son ásperos y están llenos de callos. Son manos de trabajador, como decía Bram, aunque eran las suyas las que deberían haber sido más rugosas. Me doy cuenta de que no nos hemos abrazado ni besado ni hecho ninguna de las cosas que cabría esperar de una reunión.

Aun así, cuando aparta la mano desearía que no lo hubiera hecho. Y cuando empieza a recoger sus enseres, prometiendo que haremos cosas cuando tenga un día libre, desearía haberle hablado de los *skinheads*, de París y de Lulú. Pero, aunque lo hubiera intentado, no habría sabido cómo hacerlo. Mi madre y yo hablamos holandés e inglés, pero nunca hemos podido hablar el mismo idioma.

22

Me despierta el sonido del teléfono. Busco el móvil y recuerdo que aquí no funciona. No deja de sonar. Es la línea fija. No para. Finalmente lo cojo.

—Willem *saab*. Soy Chaudhary. —Se aclara la garganta—. Al teléfono Prateek Sanu —prosigue formalmente—. ¿Quieres que pregunte cuál es el motivo de este asunto?

—No, no hay problema. Puede pasármelo.

—Un momento.

Se oyen varios clics. Después oigo la voz de Prateek saludando, interrumpido por Chaudhary, que dice:

—Prateek Sanu llamando a Willem Shiloh.

Es curioso que me llamen por el apellido de Yael y Saba. No le corrijo. Tras un momento de silencio, Chaudhary cuelga.

—¡Willem! —exclama Prateek como si en lugar de horas hiciera meses que hablamos por última vez—. ¿Cómo estás?

—Estoy bien.

—¿Qué opinas de la ciudad máxima?

—No he visto gran cosa —reconozco—. He estado durmiendo.

—Pues ahora estás despierto. ¿Qué planes tienes?

—Todavía no he pensado en ello.

—Déjame hacerte una propuesta: visítame en el mercado Crawford.

—Me parece bien.

Prateek me da instrucciones. Después de una ducha fría

salgo a la calle, y Chaudhary me persigue con lóbregas advertencias sobre «carteristas, ladrones, prostitutas y bandas itine-
rantes», remarcando dichas advertencias con sus gruesos dedos.

—Te asaltarán.

Le aseguro que podré soportarlo y, en cualquier caso, la
única gente que me asalta son madres mendigando, que se con-
gregan en el césped de las medianas, en mitad de las oscuras
calles, pidiendo dinero para comprar leche maternizada para
los bebés que duermen en sus brazos.

Esta zona de Bombay me recuerda un poco a Londres con
sus deteriorados edificios coloniales, pero está supersaturada
de color: los saris de las mujeres, los templos engalanados con
caléndulas y los autobuses pintados extravagantemente. Es como si todo absorbiera y reflejara la luz del sol.

Desde fuera, el mercado Crawford parece otro edificio sa-
cado de Inglaterra, pero su interior es completamente indio:
negocios desbordantes y más colores llamativos y surrealistas.
Paseo junto a los puestos de fruta y de ropa y me dirijo a los
establecimientos de artículos electrónicos, donde Prateek me
dijo que le encontraría. Alguien me toca el hombro.

—¿Te has perdido? —pregunta con una sonrisa de oreja a
oreja.

—No en el mal sentido.

Prateek frunce el ceño, confuso.

—Estaba preocupado —dice—. Iba a llamarte, pero no tengo tu móvil.

—Mi móvil no funciona aquí.

La sonrisa reaparece.

—Pues casualmente tenemos muchos móviles en el puesto
de artículos electrónicos de mi tío.

—¿Por eso me has traído aquí? —bromeo.

Prateek parece sentirse insultado.

—Por supuesto que no. ¿Cómo iba a saber que no tenías
teléfono? —Señala los puestos que nos rodean—. Puedes comprarlo en otro.

—Lo decía en broma, Prateek.

—Ah.

Me lleva a la tienda de su tío, abarrotada hasta el techo de teléfonos móviles, radios, ordenadores, iPads de imitación, televisores y demás. Me presenta a su tío y compra unas tazas de té al *chai-wallah*, el vendedor ambulante. Luego me lleva a la parte trasera de la tienda y nos sentamos en unos taburetes desvencijados.

—¿Trabajas aquí?

—Los lunes, martes y viernes.

—¿Y qué haces los demás días?

Realiza ese gesto entre asentir y negar.

—Estudio contabilidad. También trabajo para mi madre algunos días. Y a veces ayudo a mi primo a encontrar *goreh* para las películas.

—¿*Goreh*?

—Gente blanca como tú. Por eso estaba hoy en el aeropuerto. Tenía que llevar a mi primo.

—¿Por qué no me lo pediste a mí? —bromeo.

—Bueno, yo no soy director de *castings* o ni siquiera ayudante de un ayudante. Simplemente llevé a Rahul al aeropuerto para que buscara mochileros necesitados de dinero. ¿Necesitas dinero, Willem?

—No.

—Ya me parecía. Te hospedas en el Bombay Royale. Es de clase alta. Y has venido a visitar a tu madre. ¿Dónde está tu padre?

Hacía tiempo que nadie me lo preguntaba.

—Está muerto.

—El mío también —dice Prateek casi animadamente—. Pero tengo muchos tíos y primos. ¿Y tú?

Estoy a punto de responder que sí. Tengo un tío. Pero ¿cómo le explico lo de Daniel? No es que sea una oveja negra; más bien es una oveja invisible eclipsada por Bram. Y por Yael. Daniel, la nota al pie en la historia de Yael y Bram, la letra pequeña que nadie se molesta en leer. Daniel, el hermano pequeño, el más desaliñado, el más caótico, el más descentrado y, no lo olvidemos, el más bajo. Daniel, el que quedó relegado al asiento trasero del Fiat y, por lo visto, al asiento trasero de la vida.

—Tengo poca familia —digo a la postre, puntuando esa vaguedad encogiéndome de hombros en mi propia versión del gesto que hace Prateek con la cabeza.

Prateek me enseña varios teléfonos. Elijo uno y compro una tarjeta SIM. De inmediato introduce su número en la agenda y, por si acaso, también el de su tío. Cuando nos terminamos el té anuncia:

—Ahora creo que deberías ir al cine.

—Acabo de llegar.

—Exacto. ¿Qué es más indio que eso? Catorce millones de personas...

—Van cada día al cine aquí —le interrumpo—. Sí, ya me lo han dicho.

Saca un montón de revistas de la bolsa, las mismas que vi en el coche: *Magna*, *Stardust*. Abre una y me muestra varias páginas en las que aparecen personas atractivas, todas ellas con unos dientes extremadamente blancos. Me suelta un rosario de nombres, abatido por que no conozca ninguno.

—Iremos ahora —declara.

—¿No tienes que trabajar?

—En India, el trabajo es el dueño, pero el invitado es dios —dice Prateek—. Además, entre el teléfono y el taxi... —Sonríe—. Mi tío no se opondrá—. Abre un periódico—. Ponen *Dil Mera Golmaal*. Y también *Bandas de Wasseypur* y *Dhal Gaya Din*. ¿Tú que opinas, *baba*?

Prateek y su tío mantienen una animada conversación en una mezcla de hindi e inglés, debatiendo los méritos y deméritos de las tres películas. Finalmente se decantan por *Dil Mera Golmaal*.

El cine es un edificio *art déco* con pintura blanca desconchada no muy distinto de las salas de reposiciones a las que solía llevarme Saba cuando me visitaba. Las entradas y las palomitas las pago yo. A cambio, Prateek promete traducir.

La película —una especie de versión retorcida de *Romeo y Julieta* en la que aparecen familias enfrentadas, gánsteres, una trama terrorista para robar armas nucleares e innumerables explosiones y escenas de danza— no requiere demasiada traducción. Es a la vez absurda y extrañamente obvia.

Aun así, Prateek lo intenta.

—Ese hombre es hermano de ese otro, pero no lo sabe —susurra—. Uno es malo y el otro bueno, y la chica está con el malo, pero ama al bueno. La familia de la chica odia a la de él y la de él a la de ella, pero ellos no se odian entre sí, porque el enfrentamiento tiene que ver con el padre del otro, que lo provocó al robar el bebé cuando nació. Él también es terrorista.

—Entiendo.

Después hay un número de baile y una escena de lucha y, de pronto, estamos en el desierto.

—Dubai —susurra Prateek.

—¿Por qué exactamente? —pregunto.

Prateek me explica que el consorcio petrolero se encuentra allí, al igual que los terroristas.

Se suceden varias escenas en el desierto, incluido un duelo entre dos camionetas gigantes que a Henk le gustaría.

Después, la película se traslada abruptamente a París. Vemos una toma genérica del Sena y, un segundo después, un tiroteo a orillas del río. Luego vemos a la heroína y al gemelo bueno, que, según explica Prateek, se han casado y huido juntos. Se arrancan con una canción, pero ya no están en el Sena. Ahora se encuentran en uno de los puentes que cruzan los canales de La Villette. Lo reconozco. Lulú y yo pasamos por debajo, sentados uno junto al otro con las piernas golpeando el casco. De vez en cuando, nuestras rodillas chocaban y se desprendía cierta electricidad, como si se hubiera encendido algo.

Lo noto ahora en este cine mohoso. Casi como un acto reflejo, hundo el pulgar en la muñeca, pero el gesto carece de significado en medio de la oscuridad.

La canción termina pronto y estamos de vuelta en India para el gran final, cuando las familias se reúnen y reconcilian, y hay otra boda y un gran número de baile. A diferencia de *Romeo y Julieta*, estos amantes disfrutan un final feliz.

Después de la película, recorremos las calles abarrotadas. Todo está oscuro y el calor llega por rachas. Avanzamos hasta una amplia media luna de arena.

—Chowpatty Beach —me dice Prateek, señalando los lujosos rascacielos de Marine Drive, que brillan como diamantes frente a la elegante curvatura de la bahía.

El ambiente es de carnaval, con los vendedores de comida, los payasos, los creadores de figuras hechas con globos y los amantes furtivos aprovechando la penumbra para robarse unos besos detrás de una palmera. Intento no mirarlos. Intento no recordar cómo era robarse un beso. Intento no recordar aquel primer beso. No sus labios, sino esa marca de nacimiento en la muñeca. Me habría gustado besarla todo el día. Por alguna razón, sabía exactamente cuál sería su sabor.

El agua lame la orilla. El mar de Arabia. El océano Atlántico. Dos océanos entre nosotros. Y eso no basta.

23

Al cabo de cuatro días, Yael finalmente tiene una jornada libre. En lugar de despertarme en la cama plegable y verla salir corriendo por la puerta, la veo en pijama.

—He pedido el desayuno —dice con esa voz nítida, una veta gutural de su acento israelí que han erosionado todos estos años hablando inglés.

Alguien llama a la puerta. Chaudhary, que parece trabajar siempre y encargarse absolutamente de todo, entra empujando un carrito.

—El desayuno, *memsahib* —anuncia.

—Gracias, Chaudhary —dice Yael.

Nos estudia a ambos y sacude la cabeza.

—No se parece en nada a usted, *memsahib* —dice.

—Se parece a su *baba* —responde Yael.

Sé que es cierto, pero resulta extraño oírselo decir. Aunque no tanto, imagino, como ver la cara de su marido muerto mirándola. A veces, cuando me siento benevolente, esgrimo esto como el motivo por el que ha puesto tanta distancia entre nosotros estos últimos tres años. Sin embargo, mi lado menos benevolente pregunta: «¿Y qué hay de los dieciocho años anteriores?»

Con una teatral floritura, Chaudhary sirve tostadas, café, té y zumo y se va.

—¿Alguna vez sale de aquí? —pregunto.

—La verdad es que no. Todos sus hijos están en el extranjero y su mujer murió, así que trabaja.

—Parece muy triste.

Yael me lanza una de sus miradas inescrutables.

—Al menos tiene un objetivo.

Abre el periódico. Incluso la prensa es colorida, de un tono rosa salmón.

—¿Qué has hecho estos últimos días? —me pregunta mientras ojea los titulares.

He vuelto a Chowpatty Beach, a los mercados que rodean Colaba, a la Puerta de India. He ido a ver otra película con Prateek. He deambulado casi todo el tiempo, sin rumbo.

—Esto y aquello —digo.

—Pues hoy haremos eso y lo otro —responde.

En la planta baja nos asedia la habitual congregación de mendigos.

—Diez rupias —dice una mujer cargando con un bebé dormido—. Es para comprar leche maternizada para mi niño. Venís conmigo a comprarla.

Me dispongo a sacar dinero, pero Yael me lo impide y le grita a la mujer en hindi.

Yo no medio palabra, pero mi expresión ha debido de delatarme, porque Yael me ofrece una explicación cargada de exasperación.

—Es un truco, Willem. Los bebés son muñecos. Las mujeres forman parte de unas redes de vagabundos dirigidas por sindicatos del crimen organizado.

Observo a la mujer, que ahora se encuentra al otro lado del Taj Hotel, y me encojo de hombros.

—¿Y? Aun así necesita el dinero.

Yael asiente y frunce el ceño.

—Sí, lo necesita. Y el bebé necesita comida, qué duda cabe, pero ninguno de los dos obtendrá lo que quiere. Si le compraras leche a esa mujer, la pagarías a un precio hinchado y tendrías también una sensación hinchada de buena voluntad. Has ayudado a una mujer a alimentar a su bebé. ¿Acaso hay algo mejor?

No digo nada, porque he estado dándoles dinero a diario y ahora me siento estúpido.

—En cuanto te vas, devuelven la leche a la tienda. ¿Y tu

dinero? El propietario del establecimiento se queda una parte y los jefes mafiosos otra. Las mujeres son obligadas a trabajar y no reciben nada. En cuanto a los bebés...

Yael se sume en un silencio nada halagüeño.

—¿Qué les pasa a los bebés?

Formulo la pregunta antes de darme cuenta de que tal vez no quiera conocer la respuesta.

—Mueren. A veces de desnutrición y a veces de neumonía. Cuando la vida es tan tenue, puede provocarlo cualquier minucia.

—Lo sé —digo. «A veces incluso cuando la vida no es tan tenue», pienso, y me pregunto si ella está pensando lo mismo.

—De hecho, el día de tu llegada iba tarde por una emergencia de uno de esos niños.

No ahonda en detalles, dejando que yo una las piezas.

La no confesión de Yael logra hacerme sentir culpable retroactivamente por haberla criticado. Había algo más importante y triste; siempre hay algo más importante. Pero normalmente me cansa. ¿No podría habérmelo dicho y haberme ahorrado la molestia del sentimiento de culpa y el rencor?

No obstante, a veces pienso que la culpabilidad y la amargura tal vez sean el verdadero lenguaje que Yael y yo tenemos en común.

Nuestra primera parada es el templo de Shree Siddhivinayak, una especie de tarta de boda que está siendo atacada por una horda turística de hormigas. Yael y yo nos hacemos sitio entre las masas y entramos en un atestado salón dorado, abriéndonos paso hasta una estatua del dios elefante cubierta de flores. Es de color rojo remolacha, como si se hubiera ruborizado, o puede que él también tenga calor.

—Ganesha —me dice.

—El que derriba obstáculos.

Yael asiente.

Alrededor de nosotros la gente deposita guirnaldas en el templo, canta o reza.

—¿Hay que hacer una ofrenda para que derribe tus obstáculos? —pregunto.

—Si quieres... —responde—. O puedes entonar un mantra.

—¿Qué mantra?

—Hay varios. —Yael guarda silencio unos instantes. Después, con una voz grave y nítida, canta—: *Om gam ganapatayae namaha.*

De repente se me queda mirando, como si se hubiera cansado.

—¿Qué significa?

Yael inclina la cabeza.

—La traducción aproximada que he oído es «despierta».

—¿Despierta?

Me mira un segundo y, aunque tenemos los ojos iguales, ignoro por completo qué ve a través de los suyos.

—En un mantra, lo importante no es la traducción, sino la intención —afirma—. Y eso es lo que debes decir cuando desees un nuevo comienzo.

Después del templo, damos el alto a un *rickshaw*.

—¿Adónde vamos ahora? —pregunto.

—Hemos quedado con Mukesh para comer.

¿Mukesh? ¿El empleado de la agencia de viajes que reservó mis vuelos?

Pasamos la siguiente media hora en silencio mientras sorteamos el tráfico y las vacas, y finalmente llegamos a una especie de centro comercial polvoriento. Cuando pagamos al conductor, de un lugar llamado Outbound Travels sale como una exhalación un hombre alto, ancho y sonriente vestido con una voluminosa camisa blanca.

—¡Willem! —dice, cogiéndome ambas manos en un caluroso saludo—. Bienvenido.

—Gracias —digo, mirando alternativamente a Mukesh y a Yael, que desde luego no está mirándolo, y me pregunto qué sucede. ¿Están juntos? Sería muy del estilo de Yael: plantear la idea del novio no presentándolo como tal y dejando que lo averiguara por mí mismo.

Mukesh indica a nuestro conductor que espere y entra en la agencia de viajes a coger una bolsa de plástico. Después volvemos a montarnos y emprendemos un trayecto de quince minutos hasta el restaurante.

—Es de Oriente Próximo —dice Mukesh con orgullo—. Como mamá.

Mukesh deja a un lado la carta y pide al camarero unos platillos de humus y hojas de parra, baba ghanoush y tabulé.

Cuando llega la primera ración de humus, Mukesh me pregunta si de momento me está gustando la comida india.

Le hablo de las dosas y las pacoras que he probado en los puestos ambulantes.

—Todavía no he comido un curry como es debido.

—Eso habrá que arreglarlo —dice—. Por eso estoy aquí. —Coge la bolsa de plástico y saca varios panfletos satinados—. No dispones de mucho tiempo, así que te recomiendo que elijas una región —Rajastán, Kerala, Uttar Pradesh— y la explores. Me he tomado la libertad de confeccionar unos itinerarios de muestra.

Me desliza unas páginas impresas. Una es de Rajastán. Allí está todo. Vuelos de regreso a Jaipur y conexiones a Jodhpur, Udaipur y Jaisalmer. Hay incluso una excursión en camello. El paquete incluye un itinerario similar para Kerala, con vuelos, conexiones y travesías por el río.

Estoy confuso.

—¿Nos vamos de viaje? —pregunto a Yael.

—Ah, no, no —responde Mukesh por ella—. Mamá tiene que trabajar. Este es un viaje especial para ti, para asegurarnos de que el tiempo que pases en India es de primera.

Entonces entiendo la mirada de culpabilidad. Mukesh no es su novio. Es el empleado de la agencia de viajes. El que contrató para que me trajera aquí. El que contrató para que me despachara de aquí.

Al menos ya sé a qué he venido. No es un nuevo comienzo. Fue una estupidez ofrecer una invitación; fue una estupidez aceptarla; y lo más estúpido de todo fue pedirla.

—¿Qué viaje prefieres? —pregunta Mukesh. No parece ser consciente de la escabrosa dinámica en la que se ha sumido.

Mi ira es punzante y biliosa, pero la contengo hasta que vuelve a arreciar y me enfado conmigo mismo. ¿Cuál es la definición de locura? Hacer lo mismo una y otra vez y esperar resultados distintos.

—Este —digo, colocando el panfleto encima del montón. Ni siquiera miro el destino. Eso es lo de menos.

24

Marzo, Jaisalmer, India

Son las diez en Jaisalmer y el sol del desierto azota las piedras de color tierra de la fortaleza. Las estrechas callejuelas y
escaleras están saturadas por el calor y el humo de las hogueras
de estiércol de primera hora de la mañana, y eso, junto con los
omnipresentes camellos y vacas, confiere a la ciudad un aroma
particular.

Paso junto a un grupo de mujeres con los ojos perfilados a
lápiz, unos ojos caídos, aparentemente tímidos, aunque intentan coquetear de otras maneras, con el frufrú de sus saris de
colores eléctricos y el tintineo de las pulseras que llevan en los
tobillos.

A los pies de la colina, bordeo varios puestos de venta de
telas autóctonas y me detengo en uno de ellos a contemplar un
tapiz con reflejos púrpura.

—¿Te gusta lo que ves? —pregunta con desinterés el joven
que hay detrás del mostrador. Nada denota que me conozca,
excepto el centelleo de sus ojos.

—Puede —digo a modo de evasiva.

—¿Te gusta algo en particular?

—Le he echado el ojo a una cosa.

Nawal asiente con solemnidad, sin sonreír, sin ningún vislumbre de que hemos mantenido casi la misma conversación
los últimos cuatro días. Es como un juego. O una obra que

empezamos a interpretar cuando vi por primera vez el tapiz que quiero. O más bien, que quiere Prateek.

Después de dos días de viaje en Rajastán, cuando todavía estaba lleno de rencor y de bilis y me planteaba volver pronto a Ámsterdam, Prateek me envió un mensaje de texto con una «¡¡¡¡¡propuesta genial!!!!!». Finalmente no era tan genial. Quería que buscara artesanía local que venderá en Bombay a un precio más elevado. Me reembolsaría lo que gastara y nos repartiríamos los beneficios. Al principio le dije que no, sobre todo cuando me mandó la lista de la compra. Pero un día acabé en el bazar Bapu de Jaipur sin gran cosa que hacer, así que empecé a buscar las sandalias de piel que quería. Y seguí a partir de ahí. Rastreé los mercados en busca de especias y brazaletes, y un tipo de zapatilla muy particular ha condicionado en cierto modo el viaje, ya que me ha permitido olvidar que en realidad es un exilio. Y, debido a eso, he prolongado el exilio y le he pedido a Mukesh que lo alargue una semana. Llevo fuera tres semanas y volveré a Bombay solo unos días antes de mi vuelo a Ámsterdam.

Prateek me ha indicado que compre en Jaisalmer un tipo de tapiz por el que es conocida la zona. Debe ser de seda, y sabré que lo es porque he de quemar un hilo y desprenderá un olor a pelo chamuscado. Debe ser bordado, tejido, no pegado, y sabré que es tejido porque he de darle la vuelta y estirar el hilo, que también debe ser de seda y quemado con una cerilla. No debe costar más de dos mil rupias y he de ser un negociador inflexible. Prateek abrigaba serias dudas sobre mi habilidad para regatear, porque afirma que le pagué demasiado por el taxi, pero le aseguré que había visto a mi abuelo conseguir un queso a mitad de precio en el mercado de Albert Cuyp, así que yo lo llevaba dentro.

—¿Te apetece un té mientras das un vistazo? —pregunta Nawal. Miro debajo del mostrador y veo que, como ayer, el té ya está preparado.

—¿Por qué no?

En ese momento termina el guion y la conversación toma las riendas. Se alarga durante horas. Me siento en la silla de lona situada junto a la de Nawal y, como hemos hecho durante los últimos cuatro días, hablamos. Cuando la cosa se acalora demasiado, o cuando Nawal recibe un cliente serio, me voy. Antes, baja en quinientas rupias el precio del tapiz para cerciorarse de que vuelva y comience de nuevo el proceso al día siguiente. Nawal vierte el té con especias del recipiente metálico ornamentado. Su radio emite el mismo pop hindi alocado que le encanta a Prateek.

—Más tarde hay un partido de críquet, por si quieres escucharlo —me informa.

Bebo un sorbo de té.

—¿Críquet? ¿En serio? Lo único más aburrido que ver críquet es escucharlo.

—Eso lo dices solo porque no entiendes los detalles del juego.

Nawal disfruta aleccionándome sobre todo aquello que no comprendo. No comprendo el críquet ni tampoco el fútbol, y no comprendo la política entre India y Pakistán, como tampoco comprendo la verdad sobre el calentamiento global y, desde luego, por qué los matrimonios por amor son inferiores a los concertados. Ayer cometí el error de preguntarle qué tenían de malo los matrimonios por amor y me dio un buen sermón.

—El índice de divorcio en India es el más bajo del mundo. En Occidente es de un cincuenta por ciento. Y eso si llegan a casarse siquiera —dijo Nawal con disgusto—. Déjame contarte una historia: todos mis abuelos, tías, tíos, mis padres y mis hermanos tuvieron matrimonios concertados. Llevaron una vida larga y feliz. Mi primo eligió un matrimonio por amor y, al cabo de dos años, sin hijos, la mujer lo dejó y quedó destrozado.

—¿Qué ocurrió? —pregunté.

—Que no eran compatibles —respondió él—. Conducían sin mapa y no se puede hacer eso. Debes organizarlo como es debido. Mañana te lo demostraré.

Así que, hoy, Nawal ha traído una copia de la carta astral que ha dibujado para decidir si él y su prometida, Geeta, son compatibles. Nawal insiste en que muestra un futuro feliz para ambos, decretado por los dioses.

—En asuntos de este tipo, tienes que confiar en fuerzas más poderosas que el corazón humano —afirma.

La carta no dista mucho de una de las ecuaciones matemáticas de W. El papel está dividido en secciones y cada una de ellas contiene diferentes símbolos. Sé que W cree que todas las preguntas de la vida pueden resolverse a través de principios matemáticos, pero creo que incluso él consideraría que esto es demasiado.

—¿No te lo crees? —pregunta Nawal en tono desafiante—. Dime un buen matrimonio por amor que haya durado.

Lulú me formuló una pregunta similar. Sentados en aquel bar, discutiendo acerca del amor, exigió saber de una pareja que hubiera seguido enamorada, que hubiera seguido manchada. Así que dije: Yael y Bram. Sus nombres salieron espontáneamente. Y fue de lo más extraño, porque en dos años de viaje jamás le había hablado a nadie de ellos, ni siquiera a la gente con la que había pasado mucho tiempo. En cuanto pronuncié esas palabras quise contárselo todo sobre ellos, la historia de cómo se conocieron, que parecían piezas de rompecabezas bien acopladas y que a veces yo no parecía encajar en la ecuación. Pero hacía mucho que no hablaba de ellos. No supe hacerlo. No obstante, ella parecía saberlo sin necesidad de que yo dijera nada, lo cual resultaba un poco raro. Aun así, me habría gustado contárselo todo. Añadámoslo a mi lista de remordimientos.

Estoy a punto de hablarle a Nawal de ellos. Mis padres, que vivieron un matrimonio por amor bastante espectacular, pero quizá las cartas supieron en todo momento cómo terminaría. A veces me pregunto: si pudiéramos saber con antelación que en veinticinco años el amor acabará destrozándonos, ¿nos arriesgaríamos? Porque ¿acaso no es inevitable? Cuando provocas semejante pérdida de felicidad, en algún lugar tendrás que realizar un depósito de igual envergadura. Todo se reduce a la ley del equilibrio universal.

—Yo pienso que todo eso de enamorarse es un error —continúa Nawal—. Mírate a ti.

Lo dice como si fuera una acusación.

—¿Qué pasa conmigo?

—Tienes veintiún años y estás solo.

—No estoy solo. Estoy aquí contigo.

Nawal me mira con compasión, recordándome que, por agradables que hayan sido estos días, él está aquí para venderme algo y yo para comprarlo.

—No tienes esposa. Y me apuesto lo que sea a que has estado enamorado. Estoy convencido de que has estado enamorado muchas veces, como parecen estarlo siempre en las películas occidentales.

—La verdad es que no lo he estado nunca.

Nawal parece sorprendido y estoy a punto de explicarle que, si bien no he estado enamorado, me he enamorado muchas veces. Que son entidades completamente independientes.

Pero no lo hago. Porque, una vez más, me transporto desde los desiertos de Rajastán hasta esa cafetería de París. Casi puedo percibir el escepticismo en la voz de Lulú cuando le dije: «Existe una diferencia abismal entre enamorarse y estar enamorado.» Luego lamí la Nutella que tenía en la muñeca, supuestamente para constatar mi argumento, pero en realidad era porque me había dado una excusa para ver a qué sabía ella.

Lulú se rio de mí. Me dijo que la distinción entre enamorarse y estar enamorado era falsa. «Tengo la sensación de que simplemente te gusta ir de flor en flor. Al menos reconócelo.»

Sonrío al recordarlo, aunque Lulú, que había acertado muchas cosas sobre mí aquel día, se equivocaba en eso. Yael se formó como paracaidista en las Fuerzas de Defensa de Israel, y en una ocasión describió lo que se sentía al saltar de un avión: precipitarse por los aires, el viento por todas partes, la euforia, la velocidad, el estómago en la garganta y el duro aterrizaje. Siempre me ha parecido la manera exacta de describir cómo eran las cosas con las chicas: ese viento y la euforia, precipitarse, querer, la caída libre. El final abrupto.

Sin embargo, curiosamente aquel día con Lulú no me pareció una caída. Pareció una llegada.

Nawal y yo bebemos té y escuchamos música, charlamos de las próximas elecciones en India y de los torneos de fútbol. El sol penetra en el toldo y el calor nos apacigua. No viene ningún cliente a esta hora del día.

El sonido de mi teléfono interrumpe el idilio. Debe de ser Mukesh. Es el único que me llama aquí. Prateek envía mensajes. Yael no hace ninguna de las dos cosas.

—Willem, ¿es todo excelente? —pregunta.

—De primera —respondo. En la jerarquía de Mukesh, de primera está un peldaño por encima de excelente.

—Fantástico. No quiero preocuparte, pero llamo para informarte de un cambio de planes. Se ha cancelado la excursión en camello.

—¿Se ha cancelado? ¿Por qué?

—Los camellos se han puesto enfermos.

—¿Enfermos?

—Sí, sí. Vómitos, diarrea. Terrible, terrible.

—¿No podemos contratar otra?

Las tres noches en camello por el desierto eran el único elemento de su itinerario que realmente anhelaba. Cuando prolongué una semana el viaje, pedí a Mukesh que programara esa excursión.

—Lo he intentado, pero, por desgracia, falta una semana para la próxima en la que había plaza y, si te inscribes, perderías el vuelo a Dubai el lunes próximo.

—¿Hay algún problema? —pregunta Nawal.

—Se ha cancelado la excursión en camello. Los animales se han puesto enfermos.

—Mi primo organiza excursiones. —Nawal ya está cogiendo su móvil—. Puedo gestionarlo.

—Mukesh, creo que mi amigo puede apuntarme a otra excursión.

—¡Oh, no! Willem, eso es absolutamente inaceptable. —Su tono siempre amigable se torna brusco. Después prosigue con una voz más pausada—: Ya te he reservado un billete de vuelta en tren a Jaipur para esta noche y mañana un vuelo a Bombay.

—¿Esta noche? ¿Qué prisa hay? No me voy hasta dentro de una semana.

Cuando pedí a Mukesh que alargara una semana el viaje a Rajastán le dije que reservara el vuelo de regreso a Ámsterdam unos días después de mi llegada a Bombay. Lo tenía todo perfectamente planificado para ver a Yael solo los dos últimos días.

—¿Puedo quedarme aquí unos días más?

Mukesh chasquea la lengua, lo cual es justamente lo contrario de «excelente» en su argot particular. Empieza a soltar una perorata sobre horarios de vuelos y recargos por cambios y me advierte que me quedaré atrapado en India a menos que vuelva ahora mismo a Bombay. Finalmente, no tengo otra alternativa que ceder.

—De acuerdo, de acuerdo. Te mandaré el itinerario por e-mail —dice.

—Mi correo no funciona bien. Me desconecté y tuve que cambiar la contraseña, pero desaparecieron bastantes mensajes recientes —le explico—. Por lo visto hay un virus por ahí.

—Sí, debe de ser el Jagdish. —Vuelve a chasquear la lengua—. Debes crearte una cuenta nueva. Mientras tanto, te mandaré por mensaje de texto el itinerario de tren y avión.

Cuelgo el teléfono y busco la cartera en mi mochila. Cuento tres mil rupias, el último precio que me dio Nawal. Parece triste.

—Tengo que irme —le digo—. Esta noche.

Nawal saca de detrás del mostrador un cuadrado grueso envuelto en papel marrón.

—Lo reservé el primer día para que nadie se lo llevara. —Retira el papel y me muestra el tapiz—. He incluido algo más para ti.

Nos despedimos y le deseo suerte con su matrimonio.

—No necesito suerte; está escrito en las estrellas. Creo que eres tú quien la necesita.

Esto me hace pensar en algo que dijo Kate cuando me dejó en Mérida.

«Te desearía suerte, Willem, pero creo que debes dejar de confiar en eso.»

No sé con certeza cuál de los dos tiene razón.

Guardo mis cosas y me dirijo a la estación envuelto en el calor de última hora de la tarde. En lo alto de las montañas, la ciudad parece de oro. Detrás, las dunas de arena forman ondulaciones y todo ello me hace sentir melancólico.

El tren me lleva a Jaipur a las seis de la mañana siguiente. Mi vuelo a Bombay es a las diez. No he tenido la oportunidad de crear una nueva cuenta de correo, y Mukesh no me ha informado de que vaya a llevarme al aeropuerto. Envío un mensaje a Prateek. No ha respondido a ninguno en los dos últimos días, así que lo llamo y contesta con aire distraído.

—Hola, Prateek, soy Willem.

—Willem, ¿dónde estás?

—En un tren. Tengo aquí tu tapiz. —Agito el paquete.

—Qué bien.

Habida cuenta de su frenético entusiasmo por esta última aventura, parece extrañamente indiferente.

—¿Va todo bien?

—Mejor que bien. Muy bien. Mi primo Rahul tiene la gripe.

—Eso es terrible. ¿Se encuentra bien?

—Bien, bien. Pero tiene que guardar reposo —dice Prateek animadamente—. Estoy ayudándole. —Su voz deviene un susurro—. Con las películas.

—¿Las películas?

—¡Sí! Busco a los *goreh* para que actúen en las películas. Si consigo diez, incluirán mi nombre en los créditos. Ayudante del ayudante del director de *casting*.

—Felicidades.

—Gracias —dice con formalidad—. Pero solo si encuentro cuatro más. Mañana volveré al Ejército de Salvación y quizás al aeropuerto.

—Si vas al aeropuerto, perfecto. Necesito que me lleves.

—Creía que volvías el sábado.

—Ha habido un cambio de planes. Mañana estaré allí.

Se impone el silencio, durante el cual Prateek y yo tenemos la misma idea.

—¿Quieres actuar en la película? —pregunta al mismo tiempo que yo digo:

—¿Te gustaría que participara...?

Se oye el eco de las risas. Le facilito la información de mi vuelo y cuelgo. Fuera está poniéndose el sol; una llama brillante detrás del tren y oscuridad delante. Al poco, todo está oscuro.

Mukesh me ha reservado una litera en un vagón con aire acondicionado, que India Rail refrigera como si fuera un congelador para la carne. En la cama no hay más que una sábana. Estoy temblando, y entonces me viene a la mente el tapiz, grueso y cálido. Quito el papel y cae rodando un objeto pequeño y duro.

Es una pequeña estatua de Ganesha, que sostiene su hacha y su loto y dibuja su habitual sonrisa, como si supiera algo que el resto todavía ignoramos.

25

Bombay

La película se titula *Heera Ki Tamanna*, cuya traducción aproximada sería «desear un diamante». Es un largometraje romántico protagonizado por Billy Devali —una gran estrella— y Amisha Rai —una gran, gran estrella— y dirigido por Faruk Khan, que al parecer es tan conocido que no precisa más descripción. Prateek me cuenta todo esto en un monólogo incesante; casi no ha dejado de hablar desde que me sacó del vestíbulo de llegadas y me llevó a toda prisa al coche sin apenas mirar los diversos artículos rajastaníes que he comprado y por los que he regateado tan concienzudamente en las últimas tres semanas.

—Bueno, Willem, ese era el plan anterior —dice, sacudiendo la cabeza y consternado por tener que explicar esas cosas—. Ahora estoy trabajando en Bollywood.

Después me cuenta que ayer Amisha Rai pasó tan cerca de él que el borde del sari le rozó el brazo.

—¿Puedo explicarte lo que sentí? —pregunta sin esperar respuesta alguna—. Fue como la caricia de los dioses. ¿Puedo explicarte a qué huele?

Prateek cierra los ojos e inhala. Al parecer, las palabras no pueden describir su olor.

—¿Qué tendré que hacer exactamente?

—¿Recuerdas la escena de *Dil Mera Golmaal* después del tiroteo?

Asiento. Era como *Reservoir Dogs* pero en un barco. Y con baile.

—¿De dónde crees que salió toda esa gente blanca?

—¿Del mismo lugar mágico que las bailarinas?

—De directores de reparto como yo —responde, golpeándose el pecho.

—¿Director de reparto? Así que ya es oficial. ¿Has conseguido los diez?

—Contigo ocho. Pero lo lograré. Eres tan alto, tan guapo y tan... blanco.

—A lo mejor valgo por dos —bromeo.

Prateek me mira como si fuese idiota.

—No, vales por uno. Eres solo un hombre.

Llegamos a Film City, el barrio periférico que alberga muchos de los estudios. Después accedemos al recinto y entramos en lo que parece un gran hangar para aviones.

—Por cierto, el salario —dice Prateek con aire despreocupado—. Debo informarte de que son diez dólares diarios.

No respondo. No pensaba que fueran a pagarme nada. Prateek malinterpreta mi silencio.

—Sé que para los occidentales no es gran cosa —dice—, pero te dan comida y alojamiento para que no tengas que volver cada noche a Colaba. Por favor, por favor, dime que aceptas.

—Por supuesto. No lo hago por dinero.

Que es exactamente lo que solía decir Tor acerca de Guerrilla Will. «No lo hacemos por dinero.» Pero la mitad de las veces lo decía mientras contaba cuidadosamente los ingresos de aquella noche o consultaba los partes meteorológicos en *The International Herald Tribune* para decantarse por el lugar más soleado —y lucrativo— para la próxima función.

Por aquel entonces yo lo hacía sobre todo por dinero. Incluso la miseria que ganaba con Guerrilla Will me evitaba tener que volver a un hogar inhóspito.

Es curioso lo poco que han cambiado las cosas.

En el plató, Prateek me presenta a Arun, el ayudante del director de *casting*, que interrumpe momentáneamente su conversación telefónica para escrutarme. Dice algo a Prateek en hindi, me señala con la cabeza y ladra:

«Vestuario.»

Prateek me aprieta el abrazo y me conduce a los camerinos, que consisten en una serie de colgadores llenos de trajes y vestidos que atiende una agobiada mujer con gafas.

—Búscale algo de su talla —ordena.

Todo es al menos una cabeza demasiado corto para mí, que es más o menos lo que les saco a la mayoría de los indios. Prateek parece preocupado.

—¿Tienes un traje?

La última vez que llevé uno fue para el entierro de Bram. No, no tengo traje.

—¿Cuál es el problema? —espeta Neema, la encargada de vestuario.

Prateek se humilla, disculpándose por mi altura como si fuera un defecto de la personalidad.

La mujer suspira con impaciencia.

—Esperad aquí.

Prateek me mira alarmado.

—Espero que no te manden a casa. Arun acaba de decirme que uno de los del *ashram* se marchó esta mañana y ahora vuelvo a tener siete.

Me encojo para parecer más bajo.

—¿Sirve?

—El traje no te entrará —dice, meneando la cabeza como si yo fuera imbécil.

Neema vuelve con una funda que contiene un traje recién planchado de piel de tiburón en azul chillón.

—Esto es del vestuario de los actores, así que no lo estropees —advierte, y me hace entrar en una zona cortinada para que me lo pruebe.

El traje me entra. Prateek sonríe al verme.

—Estás de primera clase —dice sorprendido—. Ven junto a Arun. Informal, informal. Oh, sí, te ha visto. Muy bien. Creo que casi me he garantizado un lugar en los créditos. Y pensar que un día podría ser como Arun.

—Atrévete a soñar.

Estoy bromeando, pero siempre olvido que Prateek se lo toma todo al pie de la letra.

—Claro que sí. Soñar es la osadía definitiva, ¿verdad?

El decorado es una falsa coctelería con un piano de cola justo en medio. Las estrellas indias rodean la zona de la barra y más adentro se apiñan unos cincuenta extras. La mayoría de ellos son indios, pero hay quince o veinte occidentales. Me planto junto a un indio con esmoquin, pero me mira entornando los ojos y se va corriendo.

—¡Qué esnobs son! —dice entre carcajadas una chica delgada y bronceada con un vestido azul brillante—. No nos hablan.

—Parece colonialismo a la inversa o algo así —tercia un chico con rastas recogidas con una cinta—. Nash —dice, tendiéndome la mano.

—Tasha —dice la chica.

—Willem.

—Willem —repiten como si estuvieran soñando—. ¿Estás en el *ashram*?

—No.

—Ya nos parecía. Te habríamos reconocido —observa Tasha—. Eres muy alto. Como Jules.

Nash y yo asentimos. Todos asentimos ante la altura de la tal Jules.

—¿Qué os trae por India? —pregunto, recurriendo con facilidad al lenguaje de las postales.

—Somos refugiados —responde Tasha—. Del mundo materialista de Estados Unidos, obsesionado con la fama. Hemos venido aquí para purificarnos.

—¿Aquí? —pregunto, señalando el plató.

Nash se ríe.

—La iluminación no es gratuita. En realidad es un poco

cara. Así que estamos aquí intentando comprar un poco más de tiempo. ¿Y tú, tío? ¿A qué has venido a la tierra de Bollywood?

—A buscar la fama, por supuesto.

Ambos se echan a reír, y Nash pregunta:

—¿Quieres colocarte? Nos pasamos el día esperando. —Saca un grueso canuto—. Prefiero esperar colocado.

Me encojo de hombros.

—¿Por qué no?

Salimos al exterior, donde la mitad de los extras parecen estar fumando un cigarrillo a la sombra de la cornisa. Nash enciende el porro y da una calada, se lo pasa a Tasha, que inhala larga y profundamente y me lo ofrece. El hachís es fuerte y hace tiempo que no fumo, así que me afecta al instante. Nos pasamos el canuto varias veces más.

—Eres muy... alto, Willem —dice Tasha.

—Sí, creo que ya lo has mencionado antes.

—Tendríamos que presentárselo a Jules —dice Tasha arrastrando las palabras—. Es alta. Y canadiense.

—Perfecto —responde Nash—. Es una idea genial.

El mundo se ha vuelto un poco desvaído y excesivamente brillante, y todo me da vueltas.

—¿Quién es Jules? —pregunto.

—Es una chica —responde Nash—. Es guapa. Pelirroja. Está en el *ashram* pero tal vez salga en un día o dos. Es alta. Ah, eso ya lo ha dicho Tasha. Mierda, aquí llega el ayudante del director. Esconde el canuto.

Tasha lo oculta entre los dedos cuando llega un hombre con aspecto de pájaro y se nos queda mirando. Aunque Tasha tiene el porro en la mano, se fija en mí. Saca el teléfono, me hace una fotografía y desaparece sin mediar palabra.

—Mierda —dice Tasha riéndose—. Nos han pillado.

—Le han pillado a él —corrige Nash—. A nosotros no nos han hecho una foto.

Parece sentirse un poco insultado.

—Si hay hachís, la culpa siempre es del holandés —digo.

—Claro —añade Nash asintiendo.

—Ahora estoy paranoica —dice Tasha.

—Vamos dentro. Guarda el resto para luego —propone Nash.

Con la cabeza alborotada a causa del hachís, la espera en el plató resulta más lenta y no a la inversa. Paso varios minutos volteando una rupia en la mano, pero se me cae continuamente. Enciendo el teléfono para jugar al solitario, pero en un curioso antojo provocado por el porro lo utilizo para su propósito original. Hago una llamada.

—Hola..., soy Willem —digo cuando lo coge.

—Ya sé quien eres. —Percibo furia en su voz. ¿Incluso llamarla es un problema?—. ¿Dónde estás? —pregunta.

—Estoy en un rodaje. Los próximos días actuaré en una película de Bollywood.

Silencio. Yael nunca ha tenido mucha paciencia para la «baja» cultura, aparte del pop israelí hortera al que no podía resistirse. No le gustaban las películas ni los programas de televisión. Sin duda piensa que todo esto es una pérdida de tiempo.

—¿Y cuándo decidiste hacerlo? —dice al fin.

Su voz es dura como el pedernal y podría encender un fuego.

—Ayer. Oficialmente, esta mañana.

—¿Cuándo pensabas decírmelo?

Puede que sea el hachís, pero me echo a reír a carcajadas. Porque es divertido, tan divertido como lo son las cosas absurdas. Yael no opina lo mismo.

—¿Qué te parece tan gracioso?

—¿Qué me parece tan gracioso? —pregunto—. Que quieras conocer mi itinerario. Es bastante divertido cuando ni te has preocupado por mi paradero o mi bienestar en los últimos tres años; cuando me trajiste a India y una semana después me despachaste y no te molestaste en llamar una sola vez. Ni siquiera te tomaste la molestia de venir a recogerme al aeropuerto. Ya sé que había una urgencia, algo más importante, pero siempre lo hay, ¿no es así? Entonces ¿por qué necesitabas saber que actuaría en una película de Bollywood?

Me callo. Y es como si los efectos del hachís hubieran desaparecido y se llevaran mi enojo —o mi valentía— con ellos.

—El motivo por el que necesito saberlo —dice con mesura,

lo cual resulta exasperante— es para cerciorarme de que esta vez no he de ir a buscarte al aeropuerto.

Después de colgar, doy la vuelta al teléfono y veo la media docena de llamadas perdidas y los mensajes preguntando dónde estoy.

Otra conexión perdida. Últimamente es la historia de mi vida.

26

Esa noche terminamos a las ocho y nos hacinamos en un desvencijado autobús para emprender un trayecto de una hora hasta un pequeño hotel de cemento en el que compartimos habitación cuatro personas. Yo acabo con Nash, Tasha y Argin, otro acólito de su *ashram*. Los tres se pasan un porro y cuentan historias repetidas sobre alcanzar la iluminación. Me ofrecen el canuto, pero después de la debacle con Yael aquella tarde, que ha desencadenado el hachís, no confío en mí mismo. Al final me quedo dormido, pero a media noche me despierta el entusiasta chirrido de la cama. Son Nash y Tasha. O quizá los tres. Es sumamente desagradable, y patético, porque no se me ocurre otro lugar donde preferiría estar.

Al día siguiente, en el plató, es más de lo mismo. Enfundado ya en el traje, veo a Prateek medio segundo y desaparece.

—Tengo que encontrar gente —me dice—. Ayer se fueron tres. ¡Hoy necesito cuatro!

Neema me mira mal. El ayudante del director hace otra fotografía. Realmente se toman en serio lo del traje.

A última hora de la tarde, Prateek regresa con nuevos reclutas, incluida una mujer de piernas largas y cabello rojizo con algunos mechones rosas.

—¡Jules! —gritan Nash y Tasha al verla llegar. Todos se abrazan y bailan en un pequeño círculo, y después Tasha me invita a acercarme.

—Jules —dice—. Este es Willem. Creemos que es perfecto para ti.

—¿De verdad? —Jules mira con cierto desdén. Es alta; no tanto como yo, pero casi—. Soy Jules, pero, por lo visto, eso ya lo sabes —dice.

—Soy Willem.

—Me gusta tu traje, Willem.

—Como debe ser. Es un traje muy especial. Tanto, que no dejan de hacerme fotos para asegurarse de que no lo estropeo.

—Sin duda eres un hombre que sabe moverse en un armario. Tengo que ir a los camerinos. ¿Me enseñas dónde están?

—Será un placer.

Entrelaza su brazo con el mío al dirigirnos a los percheros.

—Así que has conocido a Nash y Tash.

—Tuve el placer de pasar la noche con ellos.

Jules hace un mohín.

—Hubo sexo, ¿verdad?

Asiento.

—Mi más sentido pésame —dice, sacudiendo la cabeza.

Me río.

—Esta noche dormiré contigo. Intentaré equilibrar las cosas. —Me lanza una mirada—. No en ese sentido, si es lo que estás pensando.

—Lo único que estoy pensando es en meterte en un vestido —digo.

—¿En serio? —pregunta—. ¿Meterme en un vestido?

Vuelvo a reírme. Jules sigue agarrándome del brazo, lo cual es una agradable distracción de la resaca que he padecido desde la pelea de ayer con Yael. Las chicas siempre han sido las mejores distracciones.

Hasta que una chica se convirtió en aquello de lo que necesitaba distraerme.

27

Son pasadas las cinco cuando finalmente empezamos a rodar. Nuestra escena es una canción, el momento en que el personaje de Billy Devali conoce al de Amisha Rai y está tan enamorado que se pone a cantar y a tocar el piano. Se supone que todos debemos observar, hipnotizados por esta auténtica muestra de amor a primera vista. Al final aplaudimos.

Nos pasamos el resto del día grabando. Cuando llega el descanso, el ayudante del director nos dice que debemos quedarnos al menos dos días más. Prateek me aparta para decirme que probablemente serán más y me pregunta si me importaría quedarme. No me importa. Me complacerá seguir allí hasta mi regreso a Holanda.

Estamos haciendo cola para subir otra vez al autobús cuando el ayudante del director me hace otra foto.

—Tío, están armando una buena acusación contra ti —dice Nash.

—No lo entiendo —respondo—. Ni siquiera llevo el traje ahora mismo.

Esa noche somos cinco en el hotel. Nash, Tasha, Argin, Jules y yo. Ambos compartimos un colchón en el suelo. No ocurre nada. Al menos entre nosotros. Su presencia no impide que Nash y Tasha practiquen su calistenia de madrugada, pero, cuando ocurre, veo que Jules se retuerce de la risa y me contagia.

Se da la vuelta y me mira.

—Las penas entre dos son menos —susurra.

Al día siguiente, estoy guardando cola para recibir un poco de dal y arroz cuando el ayudante del director me da un golpecito en la espalda. En esta ocasión, incluso poso para la fotografía, pero no hay cámara. Por el contrario, me indica que le acompañe.

—¿Has manchado el traje? —pregunta Jules.

Arun sale al trote detrás de nosotros, seguido de Prateek, que parece aterrorizado. ¿Cuánto puede valer este traje?

—¿Qué pasa? —pregunto a Prateek al salir del plató y dirigirnos a la hilera de caravanas.

—¡Faruk! ¡Khan!

Balbucea el nombre como si estuviera tosiendo.

—¿Qué pasa con Faruk Khan?

Pero antes de que Prateek pueda responder, me llevan escalera arriba y me meten en una de las caravanas. Dentro, Faruk Khan, Amisha Rai y Billy Devali están sentados en corrillo. Todos me miran durante lo que parece una eternidad hasta que finalmente Billy estalla:

—¡Mirad! ¿No os lo dije?

Amisha enciende otro cigarrillo y levanta los pies, cubiertos de tatuajes de jena que parecen vides.

—Tienes toda la razón —dice con un tono cantarín—. Parece una estrella de cine estadounidense.

—Como ese tal... —Billy chasquea los dedos—. Heath Ledger.

—Pero este no está muerto —dice Faruk.

Todos asienten emitiendo una especie de cacareo.

—Creo que Heath Ledger era australiano —corrijo.

—Eso no importa —dice Faruk—. ¿De dónde eres tú? ¿De Estados Unidos o Reino Unido?

—De Holanda.

Billy arruga la nariz.

—No tienes acento.

—Casi pareces británico —interviene Amisha—. O sudafricano.

—Eso se parece más al sudafricano —digo con un entrecortado acento afrikaans.

Amisha aplaude.

—Sabe imitar acentos.

—El afrikaans se parece al holandés —explico.

—¿Has actuado alguna vez? —pregunta Faruk.

—Realmente no.

—¿Realmente no? —dice Amisha arqueando una ceja.

—Un poco de Shakespeare.

—No puedes decir «realmente no» y luego que has interpretado a William Shakespeare —dice Faruk con sorna—. ¿Cuál es tu nombre? ¿O deberíamos llamarte señor Realmente No?

—Prefiero Willem. Willem de Ruiter.

—Menudo trabalenguas.

—No es un buen nombre artístico —observa Amisha.

—Puede cambiárselo —dice Billy—. Todos los estadounidenses lo hacen.

—Como si los indios no lo hicieran —replica Amisha—. Billy.

—Yo no soy estadounidense —interrumpo—. Soy holandés.

—Ah, sí. Señor de... Willem —dice Faruk—. Da igual. Tenemos un problema con uno de nuestros actores occidentales, un estadounidense llamado Dirk Digby que vive en Dubai. ¿Te suena su nombre?

Sacudo la cabeza.

—No importa. Por lo visto, ha habido problemas de última hora con el contrato del señor Digby y ha tenido que alterar sus planes. Esto nos deja un pequeño papel vacante. Es un contrabandista sudafricano de diamantes, un personaje turbio que intenta enamorar a nuestra señorita Rai a la vez que trata de robar el diamante shaktí de su familia. No es un gran papel, pero sí importante, y estamos en un apuro. Buscábamos a alguien que se adecuara y que pueda decir unas cuantas frases en hindi y unas cuantas en inglés. ¿Qué tal se te dan los idiomas?

—Bastante bien —respondo—. Me crie hablando varios.

—De acuerdo, prueba con esta —dice Faruk, y me lee unas palabras.

—Dime qué significa.

—¿Lo ves? —dice Amisha—. Un actor nato querría saberlo. Dudo que Dirk sepa nunca lo que está diciendo.

Faruk hace un gesto de desdén y se vuelve hacia mí.

—Estás intentando impedir que Heera, el personaje de Amisha, se case con Billy, pero en realidad solo quieres los diamantes de su familia. Es en inglés con un poco de hindi. En esta parte le dices a Heera que sabes quien es y que su nombre significa «diamante». ¿Lo digo yo y tú lo repites?

—De acuerdo.

—*Main jaanta hoon tum kaun ho*, Heera Gopal. «Heera» significa «diamante», ¿no es así? —dice Faruk.

—*Main jaanta hoon tum kaun ho*, Heera Gopal. «Heera» significa «diamante», ¿no es así? —repito.

Todos me miran.

—¿Cómo lo has hecho? —pregunta Amisha.

—¿Hacer qué?

—Parece que hables hindi con fluidez —afirma Billy.

—No lo sé. Siempre he tenido oído para los idiomas.

—Es increíble, de verdad. —Amisha se vuelve hacia Faruk—. No tendrías que suprimir el diálogo.

Faru me mira.

—Son tres días de rodaje a partir de la semana que viene. Aquí, en Bombay. Tendrás que aprenderte el diálogo. Puedo pedir que alguien te ayude con la pronunciación hindi y con las traducciones, pero hay bastante en inglés. —Se mesa la barba—. Puedo pagarte treinta mil rupias.

Intento realizar las conversiones mentalmente. Faruk interpreta mi silencio como una negociación.

—De acuerdo —apostilla—. Cuarenta mil rupias.

—¿Cuánto tiempo tendría que quedarme?

—El rodaje comienza el lunes y en principio durará tres días —dice Faruk.

El lunes supuestamente debo regresar a Ámsterdam. ¿Me apetece quedarme tres días más? Pero entonces Faruk prosigue.

—Te hospedarías en el hotel de los actores. Está en Juhu Beach.

—Juhu Beach es muy bonito —dice Billy.

—He de irme el lunes. Tengo un vuelo.

—¿No puedes cambiarlo? —pregunta Faruk.

Estoy seguro de que Mukesh puede hacerlo. Y si voy a hospedarme en el hotel, evitaría tener que regresar al Bombay Royale.

—Cincuenta mil —dice Faruk—. Es mi última oferta.

—Son más de mil dólares, señor de Ruiter —informa Amisha con una risa ronca y exhalando unas volutas de humo—. Creo que es demasiado bueno para rechazarlo.

28

Producción me reubica inmediatamente en un elegante hotel de Juhu Beach. Lo primero que hago es darme una ducha. Luego enchufo el teléfono, que lleva un día sin batería. Espero sin demasiada convicción algún mensaje o llamada de Yael, pero no hay ninguno. Me planteo decirle que voy a quedarme más tiempo, pero después de nuestra última conversación, después de las últimas tres semanas —tres años—, creo que no tiene derecho a esa información. En lugar de eso le envío un mensaje a Mukesh, pidiéndole que demore otra vez mi partida tres días más.

Me llama al instante.

—¡Has decidido quedarte más tiempo con nosotros! —exclama. Parece encantado.

—Solo unos días.

Le cuento que iba a trabajar de extra pero que me han ofrecido un pequeño papel.

—Vaya, eso es muy emocionante —dice—. Mamá debe de estar contenta.

—Mamá no lo sabe.

—¿No lo sabe?

—No la he visto. Me he hospedado cerca de los estudios y ahora estoy en un hotel de Juhu Beach.

—Juhu Beach. Qué clase —dice Mukesh—. Pero ¿no has visto a mamá desde que volviste de Rajastán? Creía que te había recogido en el aeropuerto.

—Cambio de planes.

—Ya veo. —Hace una pausa—. ¿Cuándo quieres marcharte?

—Supuestamente empezaré a rodar el lunes y serán tres días.

—Es mejor calcular que durará el doble —corrige Mukesh—. Veré qué puedo hacer.

Colgamos y cojo el guion. Faruk ha anotado las traducciones inglesas encima del hindi y alguien me ha facilitado una grabación de este último. Me paso la tarde repitiendo las frases.

Cuando termino, recorro la habitación de un lado a otro. Es moderna y elegante, con bañera y ducha y una cama doble. No he dormido en un sitio tan bonito desde hace siglos, y resulta demasiado tranquilo, demasiado prístino. Me siento en la cama a ver la televisión india solo por tener un poco de compañía. Pido la cena en la habitación. Esa noche, al acostarme, descubro que no puedo conciliar el sueño. El colchón es demasiado blando y demasiado grande después de tantos años durmiendo en trenes, coches, literas, sofás, futones y la estrecha cama de Ana Lucía. Ahora soy como uno de esos hombres rescatados de un naufragio que al regresar a la civilización solo pueden dormir en el suelo.

El viernes me despierto y vuelvo a practicar mis diálogos. Todavía faltan tres días para el rodaje y se extienden ante mí, interminables, como el mar azul verdoso que hay al otro lado de la ventana. Cuando suena el teléfono, me avergüenza el alivio que siento.

—Willem, soy Mukesh. Tengo noticias sobre los vuelos.

—Fantástico.

—Podré sacarte de aquí como muy pronto en abril.

Me indica algunas fechas.

—¿Qué? ¿Por qué tanto tiempo?

—¿Qué puedo decir? Todos los vuelos están reservados hasta entonces. Semana Santa.

¿Semana Santa? ¿En un país hindú y musulmán? Suspiro.

—¿Seguro que no hay nada antes? No me importa pagar un poco más.

—Es imposible. he hecho todo lo que estaba en mi mano.

Parece un poco ofendido cuando dice esto último.

—¿Y reservar un nuevo vuelo?

—En serio, Willem, son solo unas semanas, y los vuelos salen caros en esta época del año. Además, están llenos. —Su discurso empieza a sonar a regañina—. Son solo unos días más.

—¿Puedes seguir atento por si queda libre alguna plaza?

—¡Por supuesto! Así lo haré.

Cuelgo e intento ignorar la sensación de desastre inminente. Creía que la película me ataría aquí unos días más, todos ellos en un hotel. Ahora estoy atrapado. Me recuerdo a mí mismo que no tengo por qué quedarme en Bombay después del rodaje. Nash, Tasha y Jules irán unos días a Goa si logran reunir dinero suficiente. Puede que los acompañe. Puede que incluso lo pague yo.

Le envío un mensaje a Jules: «¿Todavía está en pie lo de Goa?»

Ella responde: «Solo si no mato a N y T. Ayer noche hicieron un ruido insoportable. Eres un traidor por desertar.»

Contemplo la habitación de hotel, donde ayer noche reinaba un silencio insoportable. Hago una foto de las vistas desde el balcón y se la envío a Jules. «Esto está tranquilo, y hay sitio para dos si quieres desertar tú», le escribo.

«Me gusta desertar —responde—. Dime dónde estás.»

Horas después llaman a la puerta. La abro y entra Jules. Admira las vistas y salta en la cama. Coge el guion de la mesita de noche.

—¿Quieres que lo repasemos? —pregunto—. Incluye las traducciones en inglés.

Jules sonríe.

—Claro.

Le muestro dónde debe empezar. Se aclara la garganta y se recompone.

—¿Quién se cree usted que es? —pregunta con altanería, lo cual es su intento, deduzco, de imitar a Amisha.

—A veces yo también me lo pregunto —respondo—. Mi partida de nacimiento dice Lars Von Gelder. Pero sé quién es usted, Heera Gopal. «Heera» significa «diamante», ¿no es así? Y brilla usted tanto como su nombre.

—No me apetece hablar de mi nombre con usted, señor Von Gelder.

—De modo que me conoce.

—Sé todo lo que necesito saber.

—Entonces estará al corriente de que soy el máximo exportador de diamantes de Sudáfrica y de que sé un par de cosas sobre piedras preciosas. Soy capaz de ver más a simple vista que la mayoría de los joyeros con una lupa. Y, al mirarla a usted, sé que tiene un millón de quilates y ni un solo defecto.

—Dicen por ahí que anda usted detrás del diamante de mi familia, señor Von Gelder.

—Es cierto, señorita Gopal. Es cierto. —Hago una breve pausa—. Pero quizá no el diamante shaktí.

Al final de la escena, Jules deja el guion.

—Esto es bastante cursi, señor Van Gelder.

—En realidad es Von Gelder.

—Ah, lo siento, señor Von Gelder.

—Los nombres son muy importantes, ¿sabes? —digo.

—¿Ah, sí? ¿De dónde viene Jules?

—¿De Juliana? —aventuro—. ¿Como la reina de Holanda?

—No.

Jules se levanta de la silla y se dirige hacia mí, sonriendo mientras se acomoda en mi regazo. Después me besa.

—Julieta —digo.

Menea la cabeza, sonriendo mientras se desabrocha la camisa.

—Julieta no, pero si quieres ser mi Romeo esta noche, serás bienvenido.

29

A la mañana siguiente, Jules vuelve al *ashram*, en Pune, con Nash y Tasha. Trazamos difusos planes para reunirnos en Goa la próxima semana. No he llegado a descubrir cuál es el nombre completo de Jules.

Me siento como si tuviera resaca, aunque no bebimos, y solo, aunque estoy acostumbrado a estarlo. Llamo a Prateek para preguntarle qué hace este fin de semana, pero hoy tiene que ayudar a su madre en casa y mañana asistirá a una gran cena familiar con su tío. Me paso el día deambulando por Juhu Beach. Veo a un grupo de hombres jugando al fútbol en la arena y echo de menos a los chicos de Utrecht. Entonces la nostalgia cuaja y es a Lulú a quien echo de menos, y sé que debe ser desterrada. Mi soledad es un misil que detecta el calor, y el calor es ella. Pero me veo incapaz de encontrar una nueva fuente de calor. No echo de menos a Jules en absoluto.

El domingo estoy ansioso y decido coger un tren y salir de la ciudad para visitar algo. Acabo de abrir la guía para decidir dónde voy cuando suena mi teléfono. Prácticamente salto sobre él.

—¡Willem! —oigo la voz jovial de Mukesh al otro lado de la línea. Creo que nunca me he alegrado tanto de recibir noticias suyas—. ¿Qué haces hoy?

—Eso intento averiguar. Pensaba pasar el día en Khandala.

—Khandala es muy bonito, pero queda lejos para una visita de un día, así que tendrás que marcharte temprano. Si quieres, puedo mandarte un chófer otro día. Tengo otra propuesta que hacerte. ¿Quieres que te lleve a dar una vuelta?

—¿En serio?

—Sí. Hay unos templos preciosos en Bombay, templos más pequeños que los turistas no ven casi nunca. Mi mujer y mis hijas no están, así que tengo el día libre.

Acepto agradecido, y a mediodía, Mukesh me recoge en un pequeño Ford abollado y me lleva de paseo por Bombay. Paramos en tres templos, donde observamos a unos jóvenes realizar ejercicios que recuerdan al yoga y a viejos sadhus meditando en oración. La tercera parada es un templo jaina; en él, los acólitos barren con pequeñas escobas al caminar.

—Es para apartar a cualquier criatura de su camino y no cobrarse una vida inadvertidamente —explica Mukesh—. Cuidan mucho de la vida —dice—. Como mamá.

—Exacto. Mamá es prácticamente un jaina —respondo—. ¿O quizás aspira a ser la próxima Madre Teresa?

Mukesh me lanza una mirada comprensiva que me da ganas de romper algo.

—Sabes como conocí a tu madre, ¿verdad? —pregunta mientras paseamos por un pasaje techado del templo.

—Supongo que tuvo algo que ver con el fascinante mundo de los viajes aéreos.

Estoy siendo injusto con Mukesh, pero ese es el precio a pagar por convertirse en su emisario. Él sacude la cabeza.

—Eso llegó después. Yo estaba con mi mamá, que tenía cáncer. —Chasquea la lengua—. Estaba recibiendo tratamiento con un médico de primera, pero era en los pulmones. No se podía hacer mucho. Un día volvíamos del especialista y esperábamos un taxi, pero *amma*, mi madre, se sentía bastante débil y mareada y se cayó en plena calle. Tu mamá estaba cerca de allí y vino corriendo a preguntar si podía ayudarnos. Le expliqué el estado de *amma*. Era terminal. —Su voz queda reducida a un susurro—. Pero tu mamá me habló de algunas cosas que podían ser útiles, no para curarla, sino para que sus mareos y la debilidad mejoraran. Y venía cada semana a mi casa con sus agujas y sus masajes y la ayudó mucho. Cuando le llegó la hora a *amma*, su viaje a la otra vida fue mucho más sosegado gracias a tu mamá.

Ya veo lo que está haciendo. Mukesh intenta interpretarme a mi madre como solía hacer Bram cuando me explicaba por qué Yael parecía tan arisca y distante. Era él quien me contaba historias sobre Saba, quien, tras la muerte de Naomi, la madre de Yael, quedó destrozado por un exceso de tragedias. Se volvió sobreprotector y paranoico, o más sobreprotector y paranoico, decía Bram, y no permitía a Yael hacer cosas de lo más simples —bañarse en una piscina pública o invitar a una amiga a dormir— y la obligaba a realizar listas de preparativos contra cualquier clase de emergencia. «Ella prometió que lo haría todo de otra manera —afirmaba Bram—. Para que fuera distinto contigo, para que no te resultara opresivo.»

Como si solo existiera un tipo de opresión.

Después de visitar los templos vamos a comer. Me siento culpable de cómo me he comportado con Mukesh, así que cuando me dice que va a enseñarme algo especial —algo que muy pocos turistas ven nunca— esbozo una sonrisa y finjo entusiasmo. En nuestro accidentado trayecto por Bombay las calles van volviéndose más densas: bicicletas, *rickshaws*, coches, carros tirados por burros, vacas y mujeres cargando bultos sobre la cabeza convergen en unas vías abarrotadas que no parecen construidas para tan abundante tráfico. Los edificios padecen el mismo síndrome; la mezcla de bloques altos y chabolas está atestada de riadas de personas que duermen en colchones, cuelgan la ropa en cuerdas y cocinan en pequeñas fogatas en el exterior.

Doblamos por una húmeda y angosta callejuela protegida de la intensa luz del sol y Mukesh señala una hilera de chicas jóvenes vestidas con saris harapientos.

—Son prostitutas —dice.

Nos detenemos al final del callejón. Vuelvo a mirar a las

prostitutas. Algunas son más jóvenes que yo y sus ojos carecen de expresividad. Por alguna razón, todo ello me hace sentirme avergonzado. Mukesh señala un edificio de cemento de escasa altura con un nombre escrito en arremolinado hindi e inglés en mayúsculas.

—Ya hemos llegado —dice.

Leo el cartel. MITALI. Me suena vagamente.

—¿Qué es esto? —pregunto.

—La clínica de mamá, por supuesto —dice.

—¿La clínica de Yael? —respondo alarmado.

—Sí, se me ocurrió que podíamos hacerle una visita.

—Pero, pero... —Busco alguna excusa—. Es domingo —digo finalmente, como si el día de la semana fuera el problema.

—La enfermedad no conoce descanso. —Mukesh señala una pequeña tetería en la esquina—. Te espero allí.

Y se va. Permanezco delante de la clínica un minuto. Una de las prostitutas, que no aparenta más de trece años, se dirige hacia mí y no soporto la idea de que crea que soy un cliente, así que abro la puerta. Al hacerlo me doy de bruces con una anciana agachada justo allí. Hay gente por todas partes, con vendajes caseros, y bebés lánguidos que duermen en camastros en el suelo. Acampan por la escalera de cemento y la sala de espera, dando un nuevo significado al término.

—¿Eres Willem?

Desde detrás de la partición de cristal me observa una mujer india vestida con bata blanca. Dos segundos después abre la puerta de la sala de espera, y tengo la sensación de que todas las miradas se clavan en mí. La mujer dice algo en hindi o marathi y muchos de los allí presentes asienten en silencio, dando también un nuevo significado a la palabra «paciente».

—Soy la doctora Gupta —dice, con voz enérgica y eficiente, pero también cálida—. Trabajo con tu madre. Ahora voy a buscarla. ¿Quieres un poco de té?

—No, gracias.

Tengo el nauseabundo pálpito de que todo el mundo sabe de qué va la broma excepto yo.

—Bien, bien. Espera aquí.

Me conduce a una pequeña sala sin ventanas en la que hay una camilla rasgada, y se apodera de mí una oleada de recuerdos. La última vez que estuve en un hospital: París. La vez anterior: Ámsterdam. Aquella mañana, muy temprano, Yael me había llamado a la residencia de estudiantes pidiéndome que fuera. Bram estaba enfermo.

No entendía tanta urgencia. Le había visto hacía menos de una semana. No se encontraba demasiado bien, le dolía la garganta, pero Yael cuidaba de él con sus habituales tés y tinturas. Aquel día tenía examen y pregunté si podía ir cuando terminara.

—Ven ahora —insistió.

En el hospital, Yael permaneció en un rincón mientras tres médicos —de los tradicionales, con estetoscopios y expresiones cautas— me rodeaban en un triste círculo y me explicaban que Bram había contraído una variedad rara de estreptococo que le había causado un *shock* séptico. Ya le habían fallado los riñones, y ahora también el hígado. Estaban haciendo todo lo que podían, sometiéndolo a diálisis y administrándole los antibióticos más potentes, pero, hasta el momento, nada había surtido efecto. Debía prepararme para lo peor.

—No lo entiendo —dije.

Ellos tampoco. Lo único que acertaron a decir fue:

—Es uno de esos casos entre un millón.

Eran unas perspectivas reconfortantes, excepto cuando eras tú el afectado.

Era como descubrir que el mundo estaba hecho de telaraña y podía desgarrarse muy fácilmente, que estaba a merced del destino. Pese a lo que decía Bram siempre acerca de los accidentes, parecía inconcebible.

Miré a Yael, a la poderosa Yael, para que interviniera, para que se abalanzara sobre él, para que cuidara de Bram como había hecho siempre. Pero se agazapó en aquel rincón y no dijo nada.

—¡Haz algo, maldita sea! —le grité—. ¡Tienes que hacer algo!

Pero no lo hizo. No podía. Y, dos días después, Bram había muerto.

—Willem.

Me doy la vuelta y ahí está Yael. Siempre me resulta aterradora, pero en realidad es diminuta. Apenas me llega al hombro.

—Estás llorando —dice.

Me toco la cara y descubro que la tengo llena de lágrimas. Me mortifica hacer esto delante de ella. Me vuelvo. Deseo salir corriendo. De esta clínica. De India. Olvidar el rodaje. Olvidar el vuelo retrasado. Comprar otro billete. No tiene por qué ser a Ámsterdam. Cualquier lugar excepto este.

Noto sus manos tocándome, dándome la vuelta.

—Willem —dice—. Cuéntame por qué estás perdido.

Me sorprende escuchar sus palabras, mis palabras, que lo recuerde.

Pero ¿cómo puedo responderle? ¿Cómo puedo responder cuando estos tres últimos años solo me he sentido perdido? Mucho más de lo que podía esperar. No dejo de pensar en otra historia que solía contar Bram, una historia de miedo en realidad, de cuando Yael era una niña. Tenía diez años y Saba la había llevado de acampada al desierto. Solos los dos. Cuando empezó a ponerse el sol, Saba le dijo que volvería en un momento y la dejó allí sola con una de esas listas de preparativos contra desastres que siempre le obligaba a confeccionar. Yael, atemorizada, pero capaz gracias precisamente a esas listas de preparativos, encendió una hoguera, preparó la cena, acampó y se valió por sí misma. Cuando apareció Saba al día siguiente, le gritó: «¿Cómo has podido dejarme sola?», y Saba dijo: «No te he dejado sola. He estado observándote en todo momento. Estaba preparándote.»

¿Por qué Yael no me preparó a mí? ¿Por qué no me enseñó la ley del equilibrio universal antes de que tuviera que descubrirla por mí mismo? Quizás así no echaría tanto de menos todo.

—Echo de menos... —empiezo, pero no me salen las palabras.

—Echas de menos a Bram —dice ella.

Y, sí, por supuesto que le echo de menos. Echo de menos a mi padre. Echo de menos a mi abuelo. Echo de menos mi casa.

Y echo de menos a mi madre. Pero la cuestión es que, durante casi tres años, he conseguido no echar de menos nada de eso. Y entonces pasé un único día con una chica. Un día. Un día en que la vi dormirse y despertarse bajo las nubes ondulantes de aquel parque y me sentí tan en paz que yo también me quedé dormido. Un día en que estuve bajo su protección; todavía noto su mano agarrándome mientras caminábamos a toda prisa por las calles después de arrojar el libro a los *skinheads*, agarrándome tan fuerte que parecía que fuéramos una persona y no dos. Un día en que fui el beneficiario de su extraña generosidad: el paseo en barcaza, el reloj, esa honestidad, su voluntad de demostrar temor, su voluntad de demostrar coraje. Era como si me hubiera dado todo su yo y, a consecuencia de ello, yo le di más de mí mismo de lo que imaginaba que podía haber. Pero luego desapareció. Y solo después de sentirme colmado de ella aquel día comprendí lo vacío que estaba en realidad.

Yael me observa unos instantes.

—¿A quién más echas de menos? —pregunta, como si ya conociera la respuesta.

—No lo sé —respondo, y por un minuto parece frustrada, como si estuviera ocultándoselo, pero no es así, y no quiero ocultarle más las cosas, así que lo aclaro—. No sé cómo se llama.

Yael levanta la mirada, sorprendida y no.

—¿Cómo se llama quién?

—Lulú.

—¿Ese no es su nombre?

Así que se lo cuento todo a mi madre. Le cuento que encontré a esa chica, a esa chica extraña y anónima a la que no le enseñé nada pero lo vio todo. Le cuento que desde que la perdí me he sentido despojado. Y el alivio al decírselo a mi madre es casi tan profundo como lo fue el que me procuró encontrar a Lulú.

Cuando termino la historia sobre aquel día en París miro a Yael. Y me sorprendo una vez más porque está haciendo algo que solo le he visto hacer en la cocina mientras cortaba cebollas.

Mi madre está llorando.

—¿Por qué lloras? —le pregunto con lágrimas en los ojos.

—Porque me recuerda a cómo conocí a Bram —dice, riéndose entre sollozos.

Por supuesto que sí. Lo he pensado cada día desde que conocí a Lulú. Me preguntaba si no era esa la razón por la que estoy loco por ella. Porque la historia se parece mucho a la de Yael y Bram.

—Excepto por una cosa —digo.

—¿Cuál? —pregunta, enjugándose las lágrimas.

El detalle más importante. Y cabría pensar que habría sido más listo después de haber oído tantas veces la historia de Bram.

—Debería haberle dado mi dirección.

30

Abril, Bombay

Tal como pronosticó Mukesh, la duración del rodaje se duplica, y durante seis días tengo el placer de convertirme en Lars Von Gelder. Y lo es. Un placer. Sorprendente. En el plató, disfrazado, con Amisha y los demás actores frente a mí, los diálogos cursis de Lars Von Gelder en hindi dejan de parecérmelo. Ni siquiera parece otro idioma. Se deslizan por mi lengua y siento que soy él, el hombre calculador que dice una cosa y quiere otra.

Entre toma y toma, paso el rato en la caravana de Amisha, jugando a cartas con ella y Billy.

—Estamos todos impresionados con tus habilidades —me dice Amisha—. Incluso Faruk, aunque nunca lo reconocerá.

No lo hace. No exactamente. Pero al final de cada jornada me da una palmada en la espalda y me dice: «No está mal, señor Realmente No», y me siento orgulloso.

Pero llega el último día y sé que ha terminado, porque sustituye el «no está mal» por «buen trabajo», y me da las gracias.

Y eso es todo. La semana que viene, Amisha y los actores protagonistas viajarán a Abu Dabi, donde rodarán las escenas finales de la película. ¿Y yo? Ayer recibí un mensaje de Tasha. Ella, Nash y Jules están en Goa. Me han invitado a ir con ellos, pero no lo haré.

Me quedan dos semanas aquí y voy a pasarlas con mi madre.

La primera noche en el Bombay Royale llego tarde. Chaudhary está dormitando detrás de la mesa, así que subo la escalera hasta el quinto piso en lugar de despertarlo. Yael ha dejado la puerta abierta, pero también está durmiendo cuando entro. Me siento aliviado y decepcionado a la vez. No hemos hablado desde aquel día en la clínica. No sé qué esperar entre nosotros. ¿Han cambiado las cosas? ¿Hablamos ahora un idioma común?

A la mañana siguiente me despierta sacudiéndome.

—Eh —digo parpadeando.

—Eh —responde ella casi con timidez—. Antes de irme a trabajar quería saber si quieres acompañarme al Séder. Es la primera noche de Pésaj.

Mi primera impresión es que está bromeando. Cuando era pequeño, solo celebrábamos las festividades laicas. Año Nuevo. El Día de la Reina. Nunca en la vida tuvimos un Séder. Ni siquiera supe lo que era hasta que Saba empezó a visitarnos y me habló de todas las festividades que celebraba y que Yael también solía celebrar de niña.

—¿Desde cuándo vas al Séder? —le digo.

Mi pregunta es vacilante, porque el mero hecho de formularla alude a la ternura de su infancia.

—Desde hace dos años —responde—. Una familia estadounidense fundó una escuela cerca de la clínica y quisieron celebrarlo el año pasado. Yo era el único judío al que conocían, así que me rogaron que fuera, porque decían que sería raro que no hubiese ninguno.

—¿Ellos no lo son?

—No, son cristianos. Misioneros, de hecho.

—¿Estás de broma?

Yael sacude la cabeza, pero sonríe.

—He descubierto que a nadie le gustan tanto las festividades judías como a un fundamentalista católico. —Se echa a reír, y soy incapaz de recordar la última vez que la oí hacerlo—. Puede que asista también una monja católica.

—¿Una monja? Esto empieza a parecer un chiste del tío Daniel. Una monja y un misionero entran en un Séder...

—Hacen falta tres. Una monja, un misionero y un imam entran en un Séder —precisa Yael.

Un imam. Pienso en las chicas musulmanas de París y recuerdo otra vez a Lulú.

—Ella también era judía —digo—. Mi chica estadounidense.

Yael arquea las cejas.

—¿De verdad?

Asiento.

Yael levanta las manos.

—Bueno, quizás ella también celebre el Séder esta noche.

No se me había ocurrido, pero, en cuanto lo dice, tengo la extraña sensación de que es cierto. Y, por un segundo, incluso con esos dos océanos y todo lo demás mediando entre nosotros, Lulú no me parece tan lejana.

31

Los Donnelly, la familia que celebra el Séder esta noche, viven en una enorme casa de estuco blanco con un campo de fútbol improvisado delante. Al llegar, salen al umbral varias personas rubias, incluidos tres chicos a los que Yael es incapaz de distinguir. Ahora comprendo por qué. Aparte de su altura, son idénticos, todos con el pelo alborotado, brazos y piernas desgarbados y una nuez protuberante.

—Uno es Declan, el otro Matthew, y creo que el pequeño se llama Lucas —dice Yael, lo cual no es de gran ayuda.

El más alto hace rebotar una pelota de fútbol en la mano.

—¿Echamos un partido rápido? —pregunta.

—No te manches mucho, Dec —dice la sonriente mujer rubia—. Hola, Willem. Soy Kelsey. Esta es la hermana Karenna —añade, señalando a una avejentada mujer con hábito católico.

—Bienvenido, bienvenido —dice la mujer.

—Y yo soy Paul —anuncia un hombre con bigote y camisa hawaiana antes de darme un abrazo—. Eres igualito que tu madre.

Yael y yo nos miramos. Nunca nos lo dicen.

—Es la mirada —precisa Paul. Se vuelve hacia Yael—. ¿Se ha enterado del brote de cólera en el poblado de Dharavi?

Ambos empiezan a hablar de eso, así que voy a jugar a fútbol con los hermanos. Me cuentan que han estado comentando la Pésaj y el Éxodo toda la semana como parte de sus estudios. Reciben su educación en casa.

—Incluso preparamos matzá en una hoguera —dice Lucas, el más pequeño.

—Sabéis más que yo —respondo.

Los tres se echan a reír como si estuviese hablando en broma.

Al cabo de un rato, Kelsey sale a llamarnos. La casa me recuerda a un mercadillo: un poco de esto y un poco de aquello. A un lado una mesa de comedor y al otro una pizarra. En la pared hay cuadros de tareas domésticas junto a fotografías de Jesús, Gandhi y Ganesha. Toda la casa desprende aroma a carne asada.

—Huele estupendamente —dice Yael.

Kelsey sonríe.

—He preparado una pierna de cordero asada rellena de manzana y nueces. —Se vuelve hacia mí—. Intentamos conseguir costilla, pero aquí es imposible.

—Por las vacas sagradas y esas cosas —dice Paul.

—Esta es una receta israelí —prosigue Kelsey—. Al menos eso decía la página web.

Yael guarda silencio durante un minuto.

—Es lo que habría cocinado mi madre.

Naomi es la madre de Yael, que huyó de los horrores que vivió Saba y fue atropellada por una camioneta de reparto cuando volvía de llevar a Yael al colegio. La ley del equilibrio universal. Escapas de un horror y te arrolla otro.

—¿Qué más recuerdas sobre Naomi? —le pregunto titubeante.

Era otro nombre que no podía mencionarse cuando yo era pequeño.

—Cantaba —dice Yael pausadamente—. Todo el tiempo. También en los Séder. Antes se cantaba mucho en los Séder. Y había mucha gente. Cuando era niña, la casa estaba llena. Después ya no. Luego éramos solo nosotros... —Se calla unos momentos—. No era tan alegre.

—Pues esta noche cantaremos —dice Paul—. Que alguien me traiga la guitarra.

—No, por favor. La guitarra no —bromea Matthew.

—A mí me gusta la guitarra —dice Lucas.

—A mí también —tercia Kelsey—. Me recuerda al día que nos conocimos.

Sus ojos y los de Paul se encuentran y cuentan una historia silenciosa, como solían hacer Yael y Bram, y siento que se apodera de mí la nostalgia.

—¿Nos sentamos? —pregunta Kelsey, señalando la mesa. Ocupamos nuestros respectivos sitios.

—Sé que he presionado otra vez para hacer esto, pero Yael, ¿te importaría ser la guía? —pregunta Paul—. He estudiado desde el año pasado e intervendré, pero creo que tú estás más cualificada. De lo contrario, podemos pedirle a la hermana Karenna que lo haga ella.

—¿Qué? ¿Lo hago yo? —dice la hermana Karenna a voz en cuello.

—Es un poco sorda —me susurra Declan.

—Usted no tiene que hacer nada, hermana, solo relajarse —dice Kelsey elevando el tono.

—Podemos hacerlo por turnos —dice Paul, guiñándome un ojo.

Pero no parece que Yael necesite ninguna ayuda. Con el vino delante, empieza a rezar una oración inaugural con una voz fuerte y nítida, como si lo hubiera hecho cada año de su vida. Después se vuelve hacia Paul.

—Quizá debería explicar el propósito del Séder.

—Por supuesto. —Paul se aclara la garganta e hilvana una larga y dispersa explicación sobre el Séder, que pretende conmemorar el éxodo judío de Egipto, su huida de la esclavitud, su regreso a la tierra prometida y los milagros que sobrevinieron para hacerlo posible—. Aunque esto sucedió hace miles de años, los judíos de hoy en día vuelven a contarlo cada año para regocijarse en la historia triunfante, para recordarla. Pero este es el motivo por el que quería subirme al carro. Porque no es solo una nueva narración o la celebración de una historia. Es también un recordatorio del precio y el privilegio de la liberación. —Mira a Yael—. ¿Es correcto?

Yael asiente.

—Es una historia que repetimos porque queremos que se repita —afirma.

El Séder continúa. Pronunciamos bendiciones con la matzá y comemos las verduras en agua salada y las hierbas amargas. Kelsey sirve sopa.

—No es matzá, sino mulligatawny —dice—. Espero que las lentejas estén bien.

Mientras comemos la sopa, Paul propone que, puesto que el objetivo del Séder es volver a narrar la historia de la liberación, nos turnemos y hablemos de un momento de nuestra vida en el que hayamos escapado de algún tipo de opresión.

—O en el que hayamos escapado de algo en general.

Empieza él mismo, hablando de su vida de antes, de la bebida, de las drogas, de la falta de rumbo y de la tristeza antes de hallar a Dios, y también de cuando encontró a Kelsey y después el significado.

La hermana Karenna es la siguiente, y cuenta que escapó de la brutalidad de la pobreza cuando fue acogida en una escuela religiosa y se convirtió en monja para servir a los demás.

Luego me llega el turno a mí. Hago una pausa. Mi primer instinto es hablar de Lulú, porque aquel día verdaderamente tuve la sensación de haber escapado del peligro.

Pero decido contar otra historia, en parte porque no creo que esta haya sido explicada en voz alta desde que murió. Es la historia de una chica y dos hermanos que hacen autoestop y de los tres centímetros que marcaron nuestro destino. La huida no es mía en realidad. Es de ella. Pero es mi historia. Es la historia del nacimiento de mi familia. Y, como decía Yael acerca del Séder, es una historia que repito porque quiero que se repita.

32

La noche antes de viajar rumbo a Ámsterdam, Mukesh me llama para repasar los detalles del vuelo.

—Tienes un asiento junto a la salida —dice—. Con tu peso, estarás más cómodo. He pensado que si les dices que eres una estrella de Bollywood a lo mejor consigues viajar en *business*.

Me pongo a reír.

—Haré lo que pueda.

—¿Cuándo estrenan la película?

—No estoy seguro. Acaban de terminar el rodaje.

—Es curioso cómo ha salido todo al final.

—Era el lugar adecuado en el momento adecuado —digo.

—Sí, pero no habrías estado en el lugar adecuado en el momento adecuado si no hubiéramos cancelado tu excursión en camello.

—Querrás decir que se canceló porque los camellos cayeron enfermos.

—No, no, los camellos estaban bien. Tu mamá me pidió que te trajera pronto de vuelta. —Baja el tono de voz—. También había muchos vuelos a Ámsterdam antes de mañana, pero cuando desapareciste para trabajar en la película, mamá me pidió que te retuviera un poco más. —Se ríe—. Lugar adecuado, momento adecuado.

A la mañana siguiente, Prateek viene a llevarnos al aeropuerto. Chaudhary sale a la acera para despedirnos, agitando los dedos y recordándonos las tarifas de taxi obligatorias.

Esta vez nos acompaña Yael y me siento en la parte trasera. Va en silencio todo el trayecto. Yo también. No sé muy bien qué decir. La confesión que me hizo Mukesh ayer noche me ha inquietado, y quiero preguntarle a Yael al respecto, pero no sé si debería. Si quisiera que lo supiese, me lo habría dicho.

—¿Qué harás cuando vuelvas?—pregunta al cabo de un rato.

—No lo sé.

No tengo ni la más remota idea. Al mismo tiempo, estoy preparado para volver.

—¿Dónde te alojarás?

Me encojo de hombros.

—Puedo quedarme en el sofá de Broodje unas semanas.

—¿En el sofá? Yo pensaba que vivías allí.

—Mi habitación ha sido alquilada.

Aunque no fuera así, todo el mundo dejará la casa a finales de verano. W se irá a vivir con Lien a Ámsterdam, y Henk y Broodje alquilarán un piso para ellos. «Es el fin de una era, Willy», me escribió Broodje en un correo electrónico.

—¿Por qué no vuelves a Ámsterdam? —pregunta Yael.

—Porque no hay a donde ir —respondo.

La miro a los ojos y ella a mí también, y es como si estuviéramos aceptándolo. Pero entonces arquea la ceja.

—Nunca se sabe —dice.

—No te preocupes. Ya encontraré algún sitio.

Miro por la ventana. El coche está subiendo hacia la autopista. Ya siento cómo se aleja Bombay.

—¿Seguirás buscando a esa chica?

Dice «seguirás buscando» como si no hubiera cesado de hacerlo, y me doy cuenta de que en cierto modo es así. Tal vez ese sea el problema.

—¿Qué chica es esa? —pregunta Prateek sorprendido. Nunca le hablé de ninguna chica.

Miro el salpicadero, donde Ganesha baila como lo hizo en aquel primer viaje desde el aeropuerto.

—Eh, mamá, ¿cómo era ese mantra del templo de Ganesha?

—¿*Om gam ganapatayae namaha?* —pregunta Yael.

—Ese mismo.

Desde el asiento delantero, Prateek empieza a cantar.

— *Om gam ganapatayae namaha.*

Repito el mantra y hago una pausa mientras el sonido flota a través del coche.

—Eso es lo que ando buscando. Nuevos comienzos.

Yael extiende el brazo para tocarme la cicatriz de la cara. Ahora se ha desvanecido gracias a su ayuda. Me sonríe y se me ocurre que tal vez ya haya encontrado lo que estaba buscando.

33

Mayo, Ámsterdam

Una semana después de mi regreso de India, todavía acampado en el sofá de Bloemstraat intentando recuperarme del *jet lag* y decidir cuál será mi próximo movimiento, recibo una llamada inesperada.

—Eh, hombrecillo. ¿Vienes a quitar tu mierda de mi buhardilla?

No hay introducción ni preámbulo. Tampoco es que lo necesite. Aunque no hemos hablado desde hace años, conozco la voz. Se parece mucho a la de su hermano.

—Tío Daniel —le digo—. ¿Dónde estás?

—¿Que dónde estoy? En mi piso. Con mi buhardilla, donde está toda tu porquería.

Esto es una sorpresa. En todos estos años jamás he visto a Daniel en su piso de propiedad. Es el mismo de Ceintuurbaan en el que vivían él y Bram. Por aquel entonces era una casa ocupada. Es donde residían cuando Yael llamó a la puerta y lo cambió todo.

En cuestión de seis meses, Bram se había casado con Yael y se habían mudado a un piso. Transcurrido otro año, Bram había recabado los fondos necesarios para comprar una vieja barcaza desvencijada en Nieuwe Prinsengracht. Daniel se quedó en el piso ocupado y al final consiguió alquilarlo y después comprárselo al ayuntamiento por una miseria. A diferencia de Bram, que arregló el barco tablón a tablón hasta que se convirtió en «la Bauhaus en el Gracht», Daniel dejó el piso en su estado de anárquico deterioro y lo subarrendó. Prácticamente no sacaba nada por él. «Pero nada es suficiente para vivir como un rey en el sudeste de Asia», solía decir. Así es que allí es donde vivía Daniel, esquivando los altibajos de la economía asiática con una serie de empresas que en su mayoría no fueron a ninguna parte.

—Me llamó tu madre —continúa Daniel—. Me dijo que habías vuelto y que necesitabas un lugar donde vivir. Le dije que tenías que sacar tus trastos de la buhardilla.

—¿Tengo trastos en la buhardilla? —le pregunto, levantándome del sofá, que es demasiado pequeño, e intentando digerir la sorpresa. ¿Yael llamó a Daniel? ¿Por mí?

—Todo el mundo tiene trastos en la buhardilla —responde Daniel, con una risa que es una versión más ronca que la de Bram—. ¿Cuándo puedes venir?

Quedamos para el día siguiente. Daniel me envía la dirección en un mensaje, aunque no es necesario. Conozco mejor su piso que a él. Conozco los muebles atrapados en el tiempo: la silla-huevo con rayas de cebra y las lámparas de los años cincuenta que Bram encontraba en los mercadillos y volvía a cablear. Incluso conozco el olor a pachuli y hachís. «Este lugar ha olido así durante veinte años», decía Bram cuando visitábamos el piso para arreglar un grifo o entregar las llaves a un nuevo inquilino. Cuando era más joven, la animada zona multiétnica donde vivía Daniel, justo enfrente de los tesoros del mercado callejero de Albert Cuyp, parecía otro país en comparación con el tranquilo canal en el que residíamos nosotros.

Con los años el barrio ha cambiado. Las cafeterías que rodean el mercado, que antaño eran de clase trabajadora, ahora sirven cosas con trufas, y en el propio mercado, junto a los puestos de pescado y queso, hay tiendas de diseño. Las casas también han sido remodeladas. Se ven a través de las ventanas panorámicas, con sus cocinas relucientes y sus caros muebles de líneas sencillas.

Sin embargo, la casa de Daniel no es así. Mientras sus vecinos hacían reformas y mejoras, su piso se hundió en la curvatura del espacio-tiempo. Sospecho que sigue siendo así, sobre todo después de que me advierta que el timbre no funciona y me indique que llame al llegar para que pueda tirarme las llaves. Así que me coge un poco desprevenido cuando abre la puerta del piso y entro en un salón con suelos de anchas láminas de bambú, paredes de color salvia y sofás bajos y modernos. Observo la estancia. Está irreconocible, con la salvedad de la silla-huevo, que también presenta un tapizado nuevo.

—Hombrecillo —dice Daniel, aunque ya no soy pequeño y le paso unos centímetros. Miro a Daniel. En su cabello rojizo atisban algunas canas y las líneas de expresión son algo más profundas, pero por lo demás está igual.

—Tiíllo —bromeo, dándole una palmada en la cabeza cuando le devuelvo las llaves. Doy una vuelta por el piso—. Has hecho algo aquí —le digo, golpeteándome la barbilla con un dedo.

Daniel se ríe.

—Solo he reformado la mitad, pero la mitad es más que nada.

—Cierto.

—Tengo grandes proyectos, proyectos de verdad. ¿Dónde están mis planos? —Por la ventana se oye el rugido de un avión que atraviesa las nubes. Daniel lo observa y retoma su búsqueda, escrudiñando las atestadas estanterías—. Va un poco lento porque estoy haciéndolo yo mismo, aunque puedo permitirme contratar a alguien, pero pensaba que debía hacerlo así.

¿Permitírselo? Daniel siempre ha estado en la ruina; Bram solía ayudarlo. Pero Bram no está aquí. Puede que alguna de sus empresas asiáticas finalmente haya triunfado. Veo a Daniel recorrer el salón buscando algo y finalmente localiza varios anteproyectos medio escondidos debajo de la mesita.

—Ojalá que estuviera aquí para ayudarme; creo que se alegraría de que por fin haga mío este lugar. Pero en cierto sentido noto que está aquí. Y pagando la factura —dice.

Me lleva un minuto entender de quién habla, de qué habla.

—¿El barco? —pregunto.

Daniel asiente.

En India, Yael apenas habló de él. Supuse que ya no mantenían contacto. Ahora que Bram ya no está ¿por qué iban a hacerlo? Nunca se cayeron bien. Al menos eso me parecía. Daniel era un impresentable, un desordenado y un despilfarrador —todas las cosas que a Yael le encantaban de Bram en una forma menos extrema—, y ella fue la persona que irrumpió en la vida de Daniel y la puso patas arriba. Si ya no quedaba demasiado espacio para mí, me cuesta imaginar cómo se sentía él. Entendí por qué Daniel se marchó a la otra punta del mundo años después de la aparición de Yael.

—No había testamento —explica Daniel—. Yael no tenía por qué hacerlo, pero, por supuesto, lo hizo. Tu madre es así.

¿Lo es? Pienso en mi viaje a Rajastán, un exilio que acabó convirtiéndose en lo que yo necesitaba. Después pienso en Mukesh, que no solo canceló la excursión en camello y retrasó el vuelo de regreso a petición de Yael, sino que también me dejó aquel día en la clínica, cuando todo el mundo parecía estar esperándome. Siempre he dado por sentado que mi madre era muy pasiva, que cuidaba de todo el mundo excepto de mí, pero empiezo a preguntarme si tal vez he malinterpretado su forma de cuidar de los demás.

—Ya empiezo a entenderlo —digo a Daniel.

—A buenas horas —contesta, rascándose la barba—. No te he ofrecido café. ¿Quieres uno?

—Nunca le digo que no a un café.

Le sigo a la cocina, que es la antigua, con sus armarios desportillados, sus azulejos rotos, sus antiguos y diminutos fogones de gas y un fregadero que solo tiene agua fría.

—La cocina será lo siguiente. Y los dormitorios. Puede que decir la mitad fuese un poco optimista. Será mejor que espabile. Deberías venir a vivir conmigo y ayudarme —dice dando una ruidosa palmada—. Tu padre dijo siempre que eras mañoso.

No estoy seguro de si soy mañoso, pero Bram siempre me pedía ayuda para alguna reforma del hogar u otra.

Daniel pone el café en el fogón.

—Tengo que ponerme en marcha. Me quedan dos meses, así que el tiempo corre.

—¿Dos meses para qué?

—Mierda, no te lo he dicho. Acabo de comunicárselo a tu madre.

Daniel esboza una sonrisa que se parece tanto a la de Bram que duele.

—¿Comunicarle qué?

—Bueno, Willem, voy a ser padre.

Mientras tomamos café, Daniel me detalla la gran noticia. A sus cuarenta y siete años, el perenne solterón ha encontrado por fin el amor. Pero, como al parecer los hombres de Ruiter nunca pueden hacer las cosas fáciles, la madre del hijo de Daniel es brasileña. Se llama Fabiola y se conocieron en Bali. Vive en Bahia. Me enseña una foto de una mujer con ojos de corderito y una sonrisa radiante. Después me muestra una carpeta fuelle de varios centímetros de grosor que contiene su correspondencia con varios organismos gubernamentales para demostrar la legitimidad de su relación y poder conseguir un visado y casarse. En julio irá a Brasil a prepararse para el nacimiento, que tendrá lugar en septiembre, y espera que la boda se celebre poco después. Si todo va bien, estarán en Ámsterdam en otoño y regresarán a Brasil a pasar el invierno.

—Los inviernos allí y los veranos aquí, y cuando el niño tenga edad para ir a la escuela, lo haremos al revés.

—¿El niño? —pregunto.

Daniel sonríe.

—Es un chico. Ya lo sabemos y tenemos nombre: Abraão.

—Abraão —digo, deslizándolo por la lengua.

Daniel asiente.

—Es la forma portuguesa de Abraham.

Ambos guardamos silencio unos momentos. Abraham, el nombre completo de Bram.

—Te instalarás aquí y me ayudarás, ¿verdad?

Señala los planos, el dormitorio que será dividido en dos, el piso que en su día daba cobijo a los dos hermanos y que por un corto espacio de tiempo dio cobijo a los tres antes de que Daniel se quedara solo. Y después ni siquiera a él.

Pero ahora somos dos aquí. Y pronto habrá más. Después de tanto menguar, mi familia, por una sucesión de hechos inexplicables, está creciendo de nuevo.

34

Junio, Ámsterdam

Daniel y yo nos dirigimos a la tienda de suministros de fontanería a comprar tuberías nuevas para la ducha cuando se le pincha una rueda de la bicicleta.

Nos detenemos a inspeccionarla. Hay un clavo hundido en la cámara. Son las cuatro y media y la tienda cierra a las cinco. No abre los fines de semana. Daniel frunce el ceño y levanta los brazos como un niño frustrado.

—¡Mierda! —exclama—. El fontanero viene mañana.

Empezamos por las habitaciones, un caos de clavos, pladur y yeso. Ninguno de los dos sabía exactamente qué estaba haciendo, pero entre algunos libros y unos viejos amigos de Bram conseguimos construir un pequeño dormitorio principal con una cama alta y un cuarto de bebé aún más pequeño, que es donde vivo ahora.

Pero la curva de aprendizaje era pronunciada y nos llevó más tiempo del que esperábamos, y después el lavabo, que Daniel preveía sencillo —cambiar unas instalaciones con setenta años de antigüedad por otras más modernas—, pero resultó cualquier cosa menos eso. Hubo que reemplazar todas las tuberías. Coordinar la llegada de la bañera, el lavamanos y el fontanero —otro amigo de Bram que realizará el trabajo por poco dinero pero también en sus horas, noches y fines de semana libres— ha puesto a prueba las ya limitadas habilidades logísticas de Daniel, pero él no afloja. Siempre insiste en que si Bram construyó un barco para su familia, él construirá un piso para la suya. Y me resulta extraño oír eso, porque siempre pensé que Bram había construido el barco para Yael.

Ayer noche vino el fontanero para terminar la instalación, pero nos dijo que no podía poner la ducha nueva hasta que contara con las tuberías necesarias. Y no podemos acabar de alicatar el cuarto de baño y empezar con la cocina —que según el fontanero probablemente necesitará también tuberías nuevas— hasta que tengamos ducha.

En todo momento, Daniel ha abordado las reformas con el entusiasmo absoluto de un niño que construye un castillo de arena en la playa. Algunas noches, cuando él y Fabiola hablan por Skype, carga su desvencijado ordenador portátil por todo el piso para mostrarle las últimas modificaciones, comentando la ubicación de los muebles (a ella le encanta el *feng shui*) y los colores (azul pálido para su habitación; amarillo mantequilla para la del bebé).

Pero durante esas llamadas seminocturnas se aprecia que la protuberancia está creciendo. Cuando se fue el fontanero, Daniel reconoció que casi podía oír al bebé, haciendo tictac como un despertador.

—Esté preparado o no, aquí viene —dijo, sacudiendo la cabeza—. Pensaba que con cuarenta y siete años lo estaría.

—A lo mejor nunca estás preparado hasta que se te viene encima —respondí yo.

—Muy listo, hombrecillo —dijo—. Pero, joder, si no estoy preparado yo, al menos tendrá que estarlo el piso.

—Venga, coge la mía —le digo ahora a Daniel mientras me bajo de la bicicleta. Es la misma bestia de carga destartalada que le compré a un yonqui cuando volví a Ámsterdam hace un año. Todos estos meses había permanecido atada en Bloemstraat mientras yo estaba en India; no hay nada peor para el deterioro. Cuando empecé a trabajar en el piso, la traje a Ámsterdam junto con el resto de mis pertenencias, que caben en las dos estanterías inferiores del cuarto del bebé. No tengo gran cosa: un poco de ropa, algunos libros, la estatua de Ganesha que me regaló Nawal y el reloj de Lulú. Todavía funciona. A veces lo oigo por las noches.

Problema resuelto; Daniel vuelve a estar eufórico. Con una sonrisa desdentada, se monta en mi bici y empieza a pedalear y saludar a la vez y a punto está de estrellarse contra una moto que circula en dirección opuesta. Saco su bicicleta del estrecho callejón y enfilo el amplio canal de Kloveniersburgwal. Me encuentro en una zona embutida entre el menguante Barrio Rojo y la universidad. Me dirijo a esta última, donde es más probable que encuentre un taller de bicis. Paso frente a una tienda de libros en inglés que he visto varias veces, siempre con cierta curiosidad. En la escalera de entrada hay una caja con libros a un euro. Echo un vistazo; en su mayoría son ediciones estadounidenses en rústica, de las que leía en un día e intercambiaba cuando estaba de viaje. Pero al fondo, como un refugiado desplazado, hay un ejemplar de *Noche de reyes*.

Sé que probablemente no lo leeré, pero dispongo de estantería por primera vez desde la universidad, aunque sea temporal.

Entro a pagar.

—¿Conoce algún taller de reparación de bicicletas cerca de aquí? —pregunto al hombre que atiende el mostrador.

—Hay uno dos manzanas más abajo, en Boerensteeg —dice sin apartar la mirada de su libro.

—Gracias.

Deslizo la obra de Shakespeare sobre el mostrador. El dependiente mira la portada y levanta la cabeza.

—¿Vas a comprar esto? —pregunta con escepticismo.

—Sí —respondo, y aunque no tengo por qué darle ninguna explicación, le digo que participé en la obra el año pasado—. Interpretaba a Sebastián.

—¿La hiciste en inglés? —pregunta en dicho idioma, con ese extraño acento híbrido de alguien que ha vivido mucho tiempo en el extranjero.

—Sí —respondo.

—Ah.

El dependiente vuelve a concentrarse en su libro y le doy un euro. Casi he franqueado la puerta cuando apostilla:

—Si interpretas a Shakespeare, deberías ir al teatro que hay en esta misma calle. En verano programan en inglés algunas obras decentes de Shakespeare en Vondelpark. Tengo entendido que este año celebrarán audiciones.

Lo dice sin darle importancia, dejando caer la sugerencia como si estuviese tirando la basura. Valoro la posibilidad allí mismo. Tal vez no valga la pena, o tal vez sí. No lo sabré a menos que lo intente.

35

—Nombre.

—Willem. De Ruiter.

Mi voz brota como un suspiro.

—¿Perdón?

Me aclaro la garganta y lo intento de nuevo.

—Willem de Ruiter.

Silencio. Noto el latido de mi corazón en el pecho, la sien y la garganta. No recuerdo haber estado nunca tan nervioso y no lo entiendo. Jamás he sentido miedo escénico, ni siquiera aquella primera vez con los acróbatas o actuando con Guerrilla Will en francés. Ni siquiera la primera vez que Faruk gritó «acción», se pusieron en marcha las cámaras y tuve que recitar los diálogos de Lars Von Gelder en hindi.

Pero ahora apenas me veo capaz de pronunciar mi nombre en voz alta. Es como si, sin saberlo, hubiera un control de volumen en mi interior y alguien lo hubiera puesto al mínimo. Entrecierro los ojos e intento mirar al público, pero las intensas luces hacen invisible a quienquiera que haya allí.

Me pregunto qué están haciendo. ¿Estarán examinando la fotografía en primer plano que he encajado como he podido? Daniel me la hizo en el Sarphatipark. Hemos impreso mi historial con Guerrilla Will en la parte posterior. No está tan mal desde la distancia. Tengo varias obras en mi haber, todas ellas shakespearianas. Solo si la inspeccionas atentamente te das cuenta de que la calidad de la fotografía es una porquería, pixelada al extremo, tomada con un teléfono e impresa en casa. Y mis credenciales como actor, bueno, Guerrilla Will no es exactamente un teatro de repertorio. Había visto las fotos de otros intérpretes. Provenían de toda Europa —República Checa, Alemania, Francia y Reino Unido, además de Holanda— y habían participado en obras de verdad. Las instantáneas también eran mejores.

Respiro hondo. Al menos tengo una fotografía en primer plano. Un agradecimiento a Kate Roebling. La llamé en el último minuto para pedirle consejo, porque nunca he participado en una audición. Con Guerrilla Will, Tor decidía cuál sería tu papel. Hubo algunas críticas maliciosas por ello, pero a mí no me importaba. El dinero se repartía equitativamente, con independencia del diálogo que tuvieras.

—Ah, sí, Willem —dice una voz incorpórea. Parece aburrida incluso antes de que empiece—. ¿Qué vas a leernos hoy?

La obra que producirán este verano es *Como gustéis*, que no he visto ni conozco demasiado. Cuando pasé por el teatro la semana pasada me dijeron que podía preparar cualquier monólogo de Shakespeare. En inglés, obviamente. Kate me pidió que diera un vistazo a *Como gustéis*, que tal vez encontraría algo jugoso en ella.

—Sebastián, de *Noche de reyes* —digo.

He decidido recitar tres discursos breves de Sebastián. Será más sencillo. Fue el último papel que interpreté y todavía recordaba la mayoría de las frases.

—Cuando estés listo.

Trato de recordar las palabras de Kate, pero se arremolinan en mi cabeza como un idioma extranjero que apenas conozco. «¿Elige algo que sientas? ¿Sé tu mismo, no quien quieran que seas? ¿Hazlo a lo grande o vete a casa?» Y hubo algo más, algo que me dijo antes de colgar el teléfono. Era importante, pero ahora soy incapaz de recordarlo. En este momento, bastará con que recuerde mis frases.

Oigo que alguien se aclara la garganta.

—Cuando estés listo.

En esta ocasión es una voz de mujer, en un tono que insinúa: «espabila».

«Respira.» Kate me dijo que respirara. Eso sí lo recuerdo. Así que respiro. Y entonces empiezo:

—No quisiera, y perdonadme. Mi estrella arroja tétricos rayos sobre mí: la malevolencia de mi sino pudiera tal vez destemplar el vuestro.

Recito las primeras líneas. No está mal del todo. Continúo.

—Por lo tanto, os he de rogar que consintáis que cargue solo con mis males.

Las palabras empiezan a fluir. No como hicieron el pasado verano en esa sucesión interminable de parques y plazas. No con la voz entrecortada como ocurrió en el cuarto de baño de Daniel, donde practiqué todo el fin de semana, ante el espejo, ante los azulejos y, a veces, ante el propio Daniel.

—¡Pluguiera al cielo que acabáramos de igual manera!

Ahora las palabras surgen de un modo distinto. Entendidas de otra manera. Sebastián no es un vagabundo sin rumbo que va donde le lleve el viento. Es una persona que está recuperándose, desquitado y asombrado por su racha de la mala fortuna, por la malignidad de su destino.

—Ella poseía un natural tan apacible que la misma envidia no podía menos que calificarlo de hermoso —digo, y es a Lulú a quien veo en aquella calurosa noche inglesa, que fue la última vez que recité estas palabras delante del público, y su sonrisa apenas perceptible.

—Murió ahogada en las saladas aguas, aunque no parece sino que trato de ahogar su recuerdo con estas que vierten mis ojos.

Y entonces ha terminado. No hay aplausos, tan solo un silencio atronador. Oigo mi respiración, mis latidos, que siguen martilleando. ¿No se supone que los nervios se disipan una vez que sales al escenario? ¿Una vez que has terminado?

—Gracias —dice la mujer. La palabra es entrecortada, genérica, sin entrañar gratitud alguna. Por un segundo pienso que tal vez debería darles las gracias.

Pero no lo hago. Abandono el escenario un poco aturdido, preguntándome qué acaba de ocurrir. Mientras recorro el pasillo, veo al director, al productor y al escenógrafo (Kate me dijo con quién me encontraría allí) comentando ya la fotografía de otro. La luz del vestíbulo me ciega y me froto los ojos. No sé qué hacer ahora.

—¿Te alegras de que se haya acabado? —me pregunta un tipo delgado en inglés.

—Sí —digo con aire pensativo. Pero no es verdad. Ya empiezo a notar la melancolía, como el primer día frío de otoño tras un verano caluroso.

—¿Qué te hizo cambiar de opinión? —me había preguntado Kate por teléfono. No habíamos estado en contacto desde México y, cuando le expuse mis planes, se mostró sorprendida.

—No lo sé.

Le expliqué que había comprado *Noche de reyes* y que me habían hablado de las audiciones, de encontrarse en el lugar adecuado en el momento adecuado.

—¿Y qué tal ha ido? —me pregunta ahora el chico delgado. Lleva una copia de *Como gustéis* en la mano y mueve la rodilla arriba y abajo.

Me encojo de hombros. No tengo ni idea. De veras. No lo sé.

—Yo probaré con Jaques. ¿Tú?

Miro la obra, que ni siquiera he leído. Yo pensaba que me asignarían un papel, como siempre ocurría con Tor. Con cierto pesar, empiezo a sospechar que no he estado acertado.

Y es entonces cuando recuerdo lo que dijo Kate por teléfono después de que le explicara que había llegado a la audición por casualidad.

—Comprométete, Willem. Tienes que comprometerte con algo.

Como muchas cosas importantes últimamente, el recuerdo llega demasiado tarde.

36

Pasa una semana y no recibo noticias. El chico delgado con el que hablé, Vince, me dijo que llamarían varias veces antes del *casting* final. A mí no me llaman. Me olvido del tema y vuelvo a trabajar en el piso de Daniel, canalizando tanta energía colocando baldosas que Daniel y yo terminamos el cuarto de baño dos días antes de lo previsto y empezamos con la cocina. Vamos en metro a IKEA a elegir armarios. Nos encontramos en una cocina de exposición cuyos armarios de color rojo parecen esmalte de uñas cuando suena el teléfono.

—Willem, soy Linus Felder, del Allerzielentheater.

Me late el corazón como si me hallara de nuevo en el escenario.

—Necesito que te aprendas el discurso inicial de Orlando y que vengas mañana a las nueve de la mañana. ¿Es posible? —pregunta.

Por supuesto que lo es. Quiero decirle que es más que posible.

—Claro —respondo. Y antes de que tenga la posibilidad de solicitar más detalles, Linus cuelga.

—¿Quién era? —dice Daniel.

—El director de esa obra para la que hice la prueba. Quiere que vuelva para recitar a Orlando, el protagonista.

Daniel empieza a dar saltos como un niño entusiasmado y derriba la batidora de atrezzo de la cocina.

—Mierda —dice, y me aparta de allí, silbando inocentemente.

Dejo a Daniel en IKEA y paso el resto del día memorizando el discurso bajo la llovizna del Sarphatipark. Cuando es una hora decente en Nueva York llamo a Kate para pedirle más consejos, pero la despierto porque está en California. Ruckus está a punto de empezar una gira de seis semanas con *Cimbelino* en la Costa Oeste antes de asistir a varios festivales que tendrán lugar en Reino Unido en agosto. Cuando me lo dice, casi me ruborizo por haberle pedido ayuda. Sin embargo, generosa como siempre, se toma unos minutos para decirme qué esperar de una segunda llamada. Puede que me hagan leer varias escenas y papeles, interpretar con varios actores y, si bien me han pedido que recite a Orlando, no debo dar por hecho que ese será el papel al que aspiro.

—Pero es prometedor que te hayan pedido que lo leas —dice—. Es muy buen papel para ti.

—¿A qué te refieres?

Kate suspira ruidosamente.

—¿Todavía no has leído la obra?

Vuelvo a ruborizarme.

—Lo haré, te lo prometo. Hoy mismo.

Hablamos un rato más. Dice que planea pasar los fines de semana que no tenga festival viajando por Reino Unido o que quizá vendrá a Ámsterdam. Le digo que siempre será bienvenida. Y después me recuerda de nuevo que lea la obra.

Aquella noche, después de leer el monólogo inicial tantas veces que podría recitarlo en sueños, empiezo con el resto de la obra. En este momento me estoy durmiendo y es un poco difícil entrar en el texto. Trato de averiguar a qué se refería Kate con lo de Orlando. Supongo que es porque conoce a una chica, se enamora de ella y vuelve a verla, pero va disfrazada. Sin embargo, el de Orlando es un final feliz.

Al llegar al teatro a la mañana siguiente está casi vacío y oscuro, excepto por una solitaria lámpara encendida en el escenario. Me acomodo en el último asiento y al poco se encienden las luces de la sala. Entonces hace entrada Linus, portapapeles en mano, y detrás de él Petra, la diminuta directora.

No hay cumplidos.

—Cuando estés listo —dice Linus.

En esta ocasión lo estoy. Estoy decidido a estarlo.

Pero no es cierto. Recito bien las frases, pero al decir una y después la siguiente me oigo a mí mismo y me pregunto cómo ha sonado. ¿Llevo la cadencia adecuada? Y cuanto más lo hago, más extrañas suenan las palabras, del modo en que una palabra absolutamente normal puede empezar a sonar a galimatías. Intento concentrarme, pero cada vez me resulta más difícil. Después oigo un grillo chirriando entre bastidores y me recuerda al vestíbulo del Bombay Royale, y me pongo a pensar en Chaudhary y su catre, y en Yael y Prateek, y estoy en cualquier lugar del mundo excepto en este teatro.

Cuando termino estoy furioso conmigo mismo. Tanto ensayo no ha servido de nada. El monólogo de Sebastián, al cual apenas presté atención, fue sin duda mejor que este.

—¿Puedo intentarlo de nuevo? —pregunto.

—No es necesario —dice Petra. La oigo a ella y a Linus murmurar.

—En serio. Sé que puedo hacerlo mejor.

Esbozo una sonrisa vivaz, que quizá sea mi mejor interpretación del día, porque verdaderamente no sé si podría hacerlo mejor. Lo he intentado.

—Ha estado bien —sentencia Petra—. Vuelve el lunes a las nueve. Linus te entregará la documentación antes de que te vayas.

«¿Eso es todo? ¿Acabo de conseguir el papel de Orlando?»

Quizá no debería sorprenderme tanto. Al fin y al cabo, con los acróbatas, con Guerrilla Will e incluso con Lars Von Gelder fue fácil. Debería estar exultante. Debería sentirme aliviado. Pero, curiosamente, me siento decepcionado, porque ahora esto me importa. Y algo me dice que si importa, tal vez no debería ser fácil.

37

Julio, Ámsterdam

—Hola, Willem ¿qué tal estás hoy?

—Bien, Jeroen. ¿Y tú?

—Bueno, la gota empieza a dejarse notar.

Jeroen se golpea el pecho y tose.

—La gota es en la pierna, capullo —dice Max, que se sienta a mi lado.

—Ah, claro.

Jeroen le dedica su sonrisa más encantadora mientras se aleja cojeando y riéndose.

—¡Menudo gilipollas! —le dice Max, y deja su bolso a mis pies—. Si tengo que besarle, te juro que puedo llegar a vomitar en el escenario.

—Entonces reza por la salud de Marina.

—No me importaría besarla a ella. —Max sonríe y observa a Marina, la actriz que interpreta a Rosalina junto al Orlando de Jeroen—. Ah, la encantadora Marina. Aunque es una interesada, no querría que se pusiera enferma. Es una monada. Además, si no puede continuar, tendré que besar a ese cretino. Es él quien quiero que se ponga enfermo.

—Pero no ocurrirá —le digo a Max, como si necesitara que se lo recordaran. Desde que fui contratado como su reemplazo, he oído interminablemente, incesantemente, que en sus doce años en el teatro, Jeroen Gosslers nunca se ha perdido una actuación, ni siquiera cuando estuvo vomitando a causa de la gripe, ni siquiera cuando perdió la voz, ni siquiera cuando su novia dio a luz a su hija horas antes de levantar el telón. De hecho, la trayectoria inmaculada de Jeroen al parecer es el motivo por el que me dieron esta oportunidad, ya que el actor contratado originalmente como sustituto aceptó un anuncio de Mentos que le habría exigido faltar a tres ensayos para rodar. Tres ensayos para un reemplazo que nunca aparecerá en escena. Petra lo exige todo a sus sustitutos a la vez que no les exige nada.

Tal como me pidieron, he venido cada día al teatro desde esa primera lectura, cuando el reparto se sentó a una larga y rasguñada mesa de madera situada sobre el escenario, repasando el texto línea por línea, diseccionando significados, deconstruyendo qué significaba tal palabra, cómo debería interpretarse esa frase. Petra era sorprendentemente igualitaria, abierta a las opiniones de casi todos sobre el mensaje que quería transmitir la triste Lucrecia o por qué Rosalina insistió en conservar su disfraz tanto tiempo. Si uno de los hombres del duque Federico quería interpretar un diálogo entre Celia y Rosalina, Petra lo tomaba en consideración.

Sin embargo, Max y yo no estábamos sentados a la mesa, sino a unos metros de distancia, lo bastante cerca como para oír, pero lo bastante lejos como para que nuestra participación en el debate nos hiciera sentirnos intrusos. Al principio me preguntaba si era involuntario. Pero después de oír a Petra repetir varias veces que «actuar es mucho más que recitar diálogos; es comunicarse con el público a través de cada gesto, de cada palabra no dicha», comprendí que era totalmente intencionado.

Ahora me resulta casi pintoresco el haberme preocupado por que fuera demasiado sencillo. Lo ha sido, sí, pero no como yo pensaba. Max y yo somos los únicos sustitutos que no tienen ningún papel adjudicado en la obra. Ocupamos un extraño lugar en el reparto. Somos miembros semicontratados. Miembros en la sombra. Calentadores de butacas. Muy poca gente del elenco nos habla. Vincent lo hace. A fin de cuentas consiguió su Jacques. Y Marina, que encarna a Rosalina, también, porque es inigualablemente amable. Y, por supuesto, Jeroen procura dirigirme la palabra cada día, aunque preferiría que no lo hiciera.

—Y bien, ¿qué tenemos hoy? —pregunta Max con su *cockney* londinense. Es mestiza, igual que yo; su padre es un holandés de Surinam y su madre de Londres. El *cockney* es más marcado cuando se excede bebiendo, aunque cuando lee a Rosalina su inglés se vuelve aterciopelado como el de la reina británica.

—Están repasando la coreografía de la escena de lucha —le digo.

—Bien. A lo mejor ese pretencioso se hace daño. —Max se echa a reír y se pasa la mano por su cabello puntiagudo—. ¿Quieres interpretar diálogos más tarde? No tendremos muchas oportunidades una vez que empecemos los ensayos técnicos.

Pronto sacaremos el decorado del teatro para los últimos cinco días de ensayos técnicos y con vestuario en el anfiteatro de Vondelpark, donde se representará la obra seis fines de semana. Dentro de dos viernes se celebrará el preestreno, y el sábado el gran estreno. Para el resto del reparto, es la recompensa por todo el trabajo realizado. Para Max y para mí es día de cobro, y el momento en el que desaparecerá cualquier vislumbre de que pertenecemos al elenco. Linus nos ha pedido que aprendamos de memoria la obra entera, toda la didascalia, y seguiremos a Jeroen y Marina durante el primer ensayo técnico. Será lo más parecido a entrar en acción. Linus y Petra no nos han facilitado en ningún momento orientación alguna ni nos han pedido que repasemos diálogos o cualquier otro aspecto de la obra. Max y yo estudiamos constantemente. Creo que de ese modo logramos sentir que formamos parte de la producción.

—¿Podemos hacer los diálogos de Ganimedes? Son los que más me gustan —dice Max.

—Solo porque así puedes interpretar a un chico.

—Pues claro. Pero prefiero a Rosalina cuando canaliza a su hombre. Al principio es muy boba.

—No es boba, está enamorada.

—A primera vista. —Pone los ojos en blanco—. Boba. Demuestra más pelotas cuando finge tenerlas.

—A veces es más fácil ser otra persona —digo.

—Imagino. Por eso me convertí en una maldita actriz.

Después me mira y se ríe. Puede que hayamos memorizado los diálogos. Puede que conozcamos la didascalia. Puede que hagamos acto de presencia. Pero ninguno de los dos es actor. Somos calentadores de butacas.

Max suspira y apoya los pies encima del asiento, exponiéndose a una reprimenda silenciosa de Petra y a la posterior regañina de Linus o, como lo llama Max, el Lacayo.

Sobre el escenario, Jeroen está discutiendo con el coreógrafo.

—Para mí no funciona. No parece auténtico —dice.

Max vuelve a poner los ojos en blanco, pero yo me incorporo para escuchar. Esto sucedía día sí y día también durante la didascalia. Jeroen no «sentía» los movimientos y Petra los cambiaba, pero Jeroen tampoco sentía los nuevos movimientos, así que la mayoría de las veces volvía a cambiarlos. Mi guion es un batiburrillo de garabatos y borrones, un mapa de carretera de la búsqueda de autenticidad de Jeroen.

Marina está sentada en los pilotes de cemento del escenario junto a Nikki, la actriz que interpreta a Celia. Ambas parecen aburridas mientras contemplan la coreografía de la pelea. Por un segundo, Marina me descubre observándola e intercambiamos una mirada de complicidad.

—Lo he visto —dice Max.

—¿Has visto qué?

—A Marina. Te quiere.

—Ni siquiera me conoce.

—Puede, pero ayer noche en el bar te miraba con ojos de deseo.

Cada noche, después del ensayo, buena parte del reparto va a un bar situado a la vuelta de la esquina. Ya sea porque somos provocadores o masoquistas, Max y yo vamos con ellos. Normalmente acabamos sentándonos solos en la larga barra de madera o a una mesa con Vincent. Nunca parece haber sitio en la mesa grande para Max y para mí.

—No me miraba con ojos de deseo.

—Miraba a uno de los dos con ojos de deseo. No he captado vibraciones sáficas en ella, pero con las chicas holandesas nunca se sabe.

Miro a Marina. Está riéndose de algo que ha dicho Nikki, mientras Jeroen y el actor que encarna a Carlos, el luchador, practican puñetazos falsos con el coreógrafo.

—A menos que no te gusten las chicas —prosigue Max—, pero tampoco capto esa vibración en ti.

—Me gustan bastante las chicas.

—Entonces ¿por qué cada noche te vas conmigo del bar?

—¿No eres una chica?

Max adopta una expresión de desdén.

—Lo siento, Willem, pero, por más encantador que seas, no va a pasar nada entre nosotros.

Me echo a reír y doy a Max un húmedo beso en la mejilla, que se limpia con excesiva afectación. Sobre el escenario, Jeroen intenta propinar un puñetazo simulado a Carlos y tropieza. Max aplaude.

—¡Cuidado con la gota! —grita.

Petra se da la vuelta con una penetrante mirada de desaprobación y Max finge estar absorta en su guion.

—A la mierda los putos diálogos —susurra Max cuando Petra ha desviado su atención al escenario—. Vamos a emborracharnos.

Esa noche, mientras bebemos en el bar, Max me pregunta:

—Entonces ¿por qué no lo haces?

—¿Por qué no hago qué?

—Irte con una chica. Si no es Marina, una de las paisanas del bar.

—¿Y por qué no lo haces tú? —pregunto.

—¿Quién dice que no lo hago?

—Max, te vas cada noche conmigo.

Max suspira; es un suspiro grande y profundo que la hace mucho más vieja, aunque es solo un año mayor que yo. Por eso no le importa calentar butaca, dice.

—Ya llegará mi momento. —Con un gesto finge rajarse el pecho—. Corazón roto —añade—. Las lesbianas tardan una eternidad en curarse.

Yo asiento.

—¿Y tú? —dice Max—. ¿Tienes el corazón roto?

A veces he pensado que se trataba de eso. Al fin y al cabo, nunca había estado tan enganchado a una chica. Pero es raro, porque desde aquel día con Lulú en París he reconectado con Broodje y los muchachos. He visitado a mi madre y he vuelto a hablar con ella, y ahora vivo con el tío Daniel. Y estoy actuando. De acuerdo, puede que no esté actuando exactamente, pero tampoco por accidente. Y en general estoy mejor. Mejor de lo que lo he estado desde que murió Bram y, en ciertos aspectos, mejor incluso que antes de que ocurriera. No, Lulú no me rompió el corazón. Pero empiezo a preguntarme si, de manera indirecta, lo curó.

Meneo la cabeza.

—Entonces ¿a qué estás esperando? —me pregunta Max.

—No lo sé —respondo.

Pero sí sé una cosa: la próxima vez, lo sabré cuando lo encuentre.

38

Antes de que Daniel se marche colgamos el último armario. La cocina está casi terminada. Vendrá el fontanero a instalar el lavaplatos, colocaremos los azulejos contra salpicaduras y habremos acabado.

—Ya casi estamos —digo.

—Solo tienes que arreglar el timbre y recoger tu porquería de la buhardilla —responde Daniel.

—Cierto, la porquería de la buhardilla. ¿Hay muchas cosas? —pregunto. No recuerdo haber guardado demasiadas cajas allí.

Pero Daniel y yo bajamos al menos una docena de ellas con mi nombre escrito.

—Deberíamos tirarlo todo —propongo—. He vivido todo este tiempo sin estas cosas.

Daniel se encoge de hombros.

—Como quieras.

Me pica la curiosidad. Abro una caja: son papeles y ropa de mi habitación alquilada; no estoy seguro de por qué lo guardé. Lo tiro a la basura. Abro otra caja y hago lo mismo. Luego inspecciono una tercera. En su interior hay carpetas de colores, como las que utilizaba Yael para guardar los historiales de sus pacientes, y probablemente fue etiquetada erróneamente con mi nombre. Pero entonces veo una hoja asomando en una de las carpetas y la cojo.

El viento en mi pelo
Las ruedas rebotan sobre los adoquines
Tan grandes como el cielo

Me invade un recuerdo: «No rima», dijo Bram cuando se lo enseñé tan henchido de orgullo porque la profesora me había pedido que lo leyera delante de toda la clase.

—No tiene que rimar. Es un haiku —dijo Yael, mirándolo con desaprobación y dedicándome una infrecuente sonrisa de complicidad.

Saco la carpeta. Dentro hay algunos de mis deberes, mis primeros escritos y exámenes de matemáticas. Busco en otra carpeta: no son deberes, sino dibujos de un barco y una estrella de David que Saba me enseñó a hacer con dos triángulos. Son páginas y más páginas de cosas así. La insensible Yael y Bram, obsesionado con el orden, nunca enseñaban cosas como esta. Di por sentado que las habían tirado a la basura.

En otra caja encuentro una lata llena de billetes y entradas: billetes de avión, entradas de conciertos, billetes de tren. Un viejo pasaporte israelí de Yael abarrotado de sellos. Debajo, descubro dos fotos muy antiguas en blanco y negro. Tardo un momento en reconocer a Saba. Nunca lo había visto tan joven. No sabía que esas fotos hubieran sobrevivido a la guerra, pero sin duda alguna es él. Los ojos son los de Yael. Y también los míos. En una foto está rodeando con el brazo a una chica hermosa con el pelo oscuro y ojos misteriosos. La mira con veneración. Me suena vagamente, pero no puede ser Naomi, ya que no la conoció hasta después de la guerra.

Busco más fotos viejas de Saba y la chica, pero en una funda de plástico encuentro solo un recorte de prensa dedicado a ella. Lo miro más de cerca. Lleva un vestido elegante y está flanqueada por dos hombres enfundados en un esmoquin. La sostengo a contraluz. La escritura desteñida está en húngaro, pero hay un pie de foto: Peter Lorre, Fritz Lang —personalidades de Hollywood que reconozco— y un tercer nombre, Olga Szabo, que no.

Dejo las fotos a un lado y sigo escudriñando. En otra caja

hay innumerables recuerdos. Más documentos. Y entonces, en otra, un gran sobre de color marrón. Lo abro y caen más fotos: Yael, Bram y yo de vacaciones en Croacia. Recuerdo que Bram y yo íbamos paseando cada mañana hasta el puerto a comprar pescado fresco que nadie sabía cocinar. Hay otra foto de nosotros muy abrigados el año que los canales se congelaron y todo el mundo sacó los patines. Y otra: celebrando el cuarenta cumpleaños de Bram con aquella gran fiesta que desbordó el barco y se extendió al muelle y las calles, hasta que vinieron todos los vecinos y se convirtió en una fiesta de barrio. Están las pruebas para la sesión fotográfica de la revista de arquitectura, la instantánea en la que aparecemos los tres antes de que me recortaran. Cuando llego al fondo queda una fotografía pegada al sobre y tengo que retirarla con sumo cuidado.

La exhalación que sale de mí no es un suspiro, ni un sollozo ni un estremecimiento. Es algo vivo, como un pájaro batiendo las alas, emprendiendo el vuelo. Y entonces desaparece en la sosegada tarde.

—¿Va todo bien? —pregunta Daniel.

Contemplo la foto. Estamos los tres en mi dieciocho cumpleaños; no es la foto que yo extravié, sino otra tomada desde una perspectiva diferente, con la cámara de otra persona. Es otra foto accidental.

—Creía que la había perdido —digo al cogerla.

Daniel ladea la cabeza y se rasca la sien.

—Yo siempre lo pierdo todo y lo encuentro en el lugar más extraño.

39

Unos días después yo me voy al ensayo y Daniel al aeropuerto. Se me hace raro pensar que cuando vuelva esa noche Daniel ya no estará, aunque no tendré el piso para mí solo por mucho tiempo. Broodje ha pasado casi todo el verano en La Haya trabajando como becario, y ahora está en Turquía visitando a Candace, que ha ido de viaje con sus abuelos dos semanas. A su regreso, se quedará aquí conmigo hasta que él y Henk se muden a su nuevo piso de Utrecht en otoño.

Hoy el ensayo es frenético. Están desmontando el decorado para trasladarlo al parque para la prueba técnica de mañana, y su ausencia parece haber descolocado a todo el mundo. Petra está aterrorizada, gritando a los actores, a los técnicos y a Linus, que parece deseoso de esconderse debajo del portapapeles.

—Pobre Lacayo —dice Max—. Para ser menopáusica, parece estar menstruando. Le ha destrozado el móvil a Nikki.

—¿En serio? —pregunto a Max cuando nos acomodamos en nuestras butacas habituales.

—Ya sabes cómo se pone si enciendes el teléfono en su «sagrada sala de ensayo». Pero me han dicho que está especialmente insoportable porque Geert ha dicho «Mackers» en el teatro.

—¿Mackers?

—La obra escocesa —responde. Al ver que no lo entiendo, dice *Macbeth*—. Da muy mal fario decirlo en un teatro.

—¿Y tú te lo crees?

—Lo que creo es que es mejor no jugar con Petra la víspera del primer ensayo técnico.

En ese momento entra Jeroen. Me mira y finge toser.

—¿Eso es lo máximo que puedes hacer? —le dice Max y se vuelve hacia mí—. Y se llama a sí mismo actor.

Linus pide al reparto que realice un repaso completo. Es un caos. Se olvidan frases. Se saltan entradas. Yerran con la didascalia.

—La maldición de Mackers —susurra Max.

A las seis, Petra se halla en tal estado que Linus nos deja irnos antes.

—Que durmáis bien —dice—. Mañana será un día largo. Nos vemos a las diez.

—Es muy temprano para ir al bar —comenta Max—. Vamos a comer y luego a bailar u oír a algún grupo. Podemos mirar qué hay en el Paradiso o el Melkweg.

Nos dirigimos a Leidseplein. Max está fuera de sí porque un músico que en su día perteneció a un grupo famoso tocará en solitario esta noche en el Paradiso y todavía quedan entradas. Compramos dos. Después paseamos por la plaza, que en esta época del año es la zona cero para los turistas. Hay un gran número de ellos rodeando a unos artistas callejeros.

—Probablemente sean esos malditos músicos peruanos —observa Max—. Cuando era pequeña pensaba que eran siempre los mismos y me perseguían. Tardé años en descubrir que eran clones. —Se ríe y se golpea la cabeza con los nudillos—. A veces puedo ser muy dura de mollera.

No son los peruanos, sino un grupo de malabaristas. No lo hacen mal, y juegan con todo tipo de objetos puntiagudos en llamas. Nos quedamos un rato a verlos y cuando pasan el sombrero, les echo unas monedas.

Cuando nos disponemos a marcharnos, Max me da un golpecito en el costado.

—Ahora empieza el espectáculo de verdad —dice. Me doy la vuelta y veo a qué se refiere: una mujer rodea con las piernas las caderas de uno de los malabaristas y lo agarra del pelo—. Coge sitio —bromea.

Los observo más tiempo del que debería. Entonces, la chica se pone en pie y se da la vuelta. Ella me ve a mí y yo a ella, y nos miramos una segunda vez.

—¿Wills? —me dice.

—¿Bex? —digo yo.

—¿*Wills?* —repite Max.

Bex deja atrás al malabarista, se acerca a mí y me da un abrazo y un beso de lo más teatrales. Han cambiado mucho las cosas desde la última vez que la vi, cuando apenas me estrechó la mano. Me presenta a Matthias. Yo le presento a Max.

—¿Es tu novia? —pregunta Bex, lo cual provoca en Max un afectado aullido de protesta.

Después de charlar un rato nos quedamos sin nada que decir, porque ni siquiera teníamos gran cosa que decirnos cuando nos acostábamos.

—Tenemos que irnos. Matthias debe descansar mucho para poder «actuar».

Bex lanza un guiño sumamente obvio por si no ha quedado claro a qué clase de descanso y actuación se refiere.

—Nos vemos, pues.

Nos damos varios besos de despedida.

Al alejarnos, Bex dice:

—Eh, ¿te encontró finalmente Tor?

Me detengo.

—¿Me estaba buscando?

—Estaba intentando localizarte. Por lo visto te llegó una carta a Headingley.

Es como si alguien pulsara un interruptor y una sobrecarga recorriera mi cuerpo.

—¿A Headingley?

—La casa de Tor en Leeds —dice Bex.

Sé dónde está Headingley. Pero casi nunca doy a nadie una dirección y no recuerdo haber facilitado jamás la de Tor, que a veces era el cuartel general de Guerrilla Will, donde íbamos a ensayar o a recuperarnos. No hay motivo alguno para pensar que Lulú me haya enviado una carta allí, que sepa que debía hacerlo. Pero, aun así, vuelvo hacia Bex.

—¿Una carta de quién?

—No lo sé, pero Tor tenía muchas ganas de entregártela. Me dijo que te había mandado un correo pero que no respondiste. Qué raro, ¿no?

Ignoro la pulla.

—¿Cuándo?

Bex se rasca la ceja, intentando evocar el recuerdo.

—No lo sé, fue hace tiempo. Un momento. ¿Cuándo estuvimos en Belfast? —pregunta a Matthias.

Este se encoge de hombros.

—Más o menos por Semana Santa, ¿no?

—No, creo que fue antes. Un martes de carnaval —dice Bex, y levanta las manos—. En febrero. Recuerdo que comimos tortitas. O en marzo. O quizá fue en abril. Tor me dijo que te envió un e-mail y no obtuvo respuesta, y me preguntó si sabía cómo localizarte.

Bex abre más los ojos para demostrar la absurdidad de semejante idea.

Marzo. Abril. Cuando estaba viajando por India y mi cuenta de correo se infectó de ese virus. Luego cambié de dirección. Hace meses que no consulto la antigua. Puede que esté allí mismo. Puede que haya estado allí en todo momento.

—¿No te imaginas de quién podía ser la carta?

Bex parece molesta, como si estuviera evocando algunos recuerdos. Cuando lo nuestro no duró y Bex estuvo desagradable el resto de la temporada, Skev se mofaba de mí: «¿No conoces el dicho: no muerdas la mano que te da de comer?»

—No tengo ni idea —responde Bex con un tono aburrido que parece ensayado, así que no estoy seguro de si no lo sabe o no quiere decírmelo—. Si te interesa, pregúntale a Tor. —Se echa a reír, pero no amigablemente—. Tendrás suerte si la localizas antes del otoño.

Parte del «método» de Tor consistía en vivir tan cerca de la época shakespeariana como fuera posible mientras estaba de gira. Se negaba a utilizar el ordenador o el teléfono, aunque a veces pedía prestado uno para enviar un correo electrónico o realizar una llamada si era importante. No veía la televisión ni escuchaba el iPod. Y aunque consultaba obsesivamente los partes climatológicos, lo cual parecía una innovación bastante moderna, lo hacía en los periódicos, cosa que se antojaba razonable, porque ya existían en la Inglaterra del siglo XVII, o eso decía ella.

—¿Tienes idea de qué hizo con la carta?

Se me ha acelerado el corazón, como si hubiera estado corriendo, y me falta el aire, pero me obligo a sonar tan aburrido como Bex por temor a que la carta pueda parecer importante y no me cuente nada.

—A lo mejor te la envió al barco.

—¿Al barco?

—En el que vivías.

—¿Y cómo sabía de la existencia del barco?

—Madre mía, Wills, ¿cómo quieres que lo sepa? Supongo que se lo dijiste a alguien. Viviste con el grupo más o menos un año.

Le hablé a una persona sobre el barco. Skev. Iba a Ámsterdam y me preguntó si podía buscarle alojamiento gratis. Mencioné algunas casas ocupadas y le dije que si la llave seguía en su escondite y no había nadie, podía acampar en el barco.

—Sí, pero hace años que no vivo allí.

—Bueno, obviamente no es muy importante —dice Bex—. De lo contrario, quien escribió la carta habría sabido dónde encontrarte.

Bex se equivoca, pero también tiene razón. Porque Lulú debería haber sabido dónde encontrarme. Y entonces me sosiego. Lulú. ¿Después de todo este tiempo? Es más probable que la carta sea de un recaudador de impuestos.

—¿De qué va todo esto? —pregunta Max cuando Bex y Matthias se han ido.

Sacudo la cabeza.

—No estoy seguro. —Miro al otro lado de la plaza—. ¿Te importa si vamos ahí? Tengo que conectarme a Internet un segundo.

—De acuerdo —dice—. Voy a por un café.

Me conecto a mi vieja cuenta. No hay gran cosa excepto correo basura. Retrocedo hasta la primavera, cuando se infectó de ese virus, y no hay nada allí. Cuatro semanas de mensajes que han desaparecido. Pruebo con la bandeja de *spam*. Nada. Por costumbre, antes de desconectarme busco los mensajes de Bram y Saba, aliviado de que sigan allí. Mañana iré a imprimirlos y los reenviaré también a mi nueva cuenta. Entre tanto, modifico la configuración de la antigua para que envíe todos los correos nuevos a la dirección actual.

Entro en la cuenta de correo que utilizo ahora, aunque es imposible que Tor la conozca porque solo se la he facilitado a unas pocas personas. Busco en la bandeja de entrada y en la de *spam*. No hay nada.

Mando a Skev una breve nota pidiéndole que me llame. Luego le escribo un correo a Tor preguntándole por la carta, qué decía y dónde la envió. Conociendo a Tor, no obtendré respuesta hasta el otoño. Para entonces, habrá transcurrido más de un año desde que conocí a Lulú. Cualquiera en su sano juicio sabría que es demasiado tarde. Ya parecía demasiado tarde aquel primer día, cuando desperté en el hospital. Pero aun así he seguido buscando.

Todavía estoy buscando.

40

El ensayo técnico es monstruoso. Además de repasar diálogos, muchos de los cuales se olvidan en el nuevo entorno, hay que aprenderlo y organizarlo todo de nuevo sobre el escenario del anfiteatro. Me paso el día detrás de Jeroen, y Max detrás de Marina, mientras ensayan a trompicones sus escenas. Una vez más somos su sombra, si no fuera porque ninguno la tiene, ya que no ha salido el sol; tan solo cae una llovizna continua que lo ha imbuido todo de tristeza. Jeroen ni siquiera ha hecho una broma sobre su enfermedad del día.

—¿Quién habrá tenido la brillante idea? —dice Max—. El puñetero Shakespeare al aire libre. Y en Holanda, donde el inglés ni siquiera es la lengua oficial y llueve constantemente.

—Te olvidas de que los holandeses son unos optimistas empedernidos —respondo.

—¿En serio? —pregunta—. Yo pensaba que eran pragmáticos empedernidos.

No lo sé. Tal vez sea yo el optimista. Ayer noche, cuando volví del Paradiso, consulté el correo y lo he hecho de nuevo esta mañana antes de salir hacia los ensayos. Había un e-mail de Yael, un chiste que me envió Henk y la basura habitual, pero nada de Skev ni de Tor. ¿Qué esperaba exactamente?

Ni siquiera estoy seguro de qué motivos tengo para el optimismo. Si la carta es suya, ¿quién dice que no será un «que te zurzan» de larga distancia? Tendría todo el derecho del mundo.

Nos tomamos un descanso para comer y consulto el teléfono. Broodje me ha enviado un mensaje para decirme que saldrá a navegar con un velero y estará incomunicado unos días, pero que regresará a Ámsterdam la semana que viene. Daniel también me informa de que ha llegado sano y salvo a Brasil y me manda una foto de la tripa de Fabiola. Prometo comprar mañana un teléfono que acepte imágenes.

Petra prohíbe los teléfonos móviles durante los ensayos. Pero, mientras habla con Jeroen, pongo el mío en vibración y me lo guardo en el bolsillo. Soy un optimista, qué duda cabe.

Hacia las cinco cesa la llovizna y Linus retoma el ensayo. Estamos teniendo problemas con los cambios de luces, que no podemos ver. Puesto que la obra comienza en pleno ocaso y se prolonga durante la noche, las luces se encienden hacia la mitad, de modo que el ensayo de mañana se realizará de dos de la tarde a la medianoche para saber si la segunda parte, la que interpretaremos en la oscuridad, está adecuadamente iluminada.

A las seis vibra mi teléfono y lo saco del bolsillo. Max abre unos ojos como platos.

—Cúbreme —le susurro, y me escapo a un lateral.

Es Skev.

—Gracias por responder —digo en voz baja.

—¿Dónde estás? —pregunta, moderando también el tono.

—En Ámsterdam. ¿Y tú?

—De nuevo en Brighton. ¿Por qué hablas tan bajo?

—Estoy en un ensayo.

—¿De qué?

—De Shakespeare.

—En Ámsterdam. Joder, eso mola. Yo lo he dejado. Ahora trabajo en Starbucks.

—Mierda, lo lamento.

—No, está bien, tío.

—Escucha, Skev, no puedo hablar mucho rato, pero me he encontrado a Bex.

—Bex. —Suelta un silbido—. ¿Cómo está esa monada?

—Igual que siempre, liada con un malabarista. Mencionó una carta que Tor intentó hacerme llegar a principios de este año.

Hay una pausa.

—Victoria. Tío, ella es diferente.

—Lo sé.

—Le pregunté si me dejaba volver y dijo que no. Solo aquella vez. Fuera de temporada. No muerdas la mano que te da de comer.

—Lo sé, lo sé. En cuanto a esa carta...

—Sí, tío. No sé nada al respecto.

—Vaya.

—Victoria no me contó nada. Dijo que era personal. Ya sabes cómo se pone. —Suspira—. Así que le pedí que te la mandara. Le di la dirección del barco. No sabía si podías recibir correo allí.

—Se podía. Podíamos. Recibíamos.

—Entonces ¿recibiste la carta?

—No, Skev. Por eso llamo.

—Pues debe de estar en el barco, tío.

—Pero ya no vivimos allí. Hace bastante de eso.

—Mierda. Olvidé que estaba vacío. Lo siento.

—No te preocupes, tío.

—Mucha mierda con lo de Shakespeare.

—Sí, para ti también con tus capuchinos y tal.

Se echa a reír y nos despedimos.

Vuelvo al ensayo. Max parece histérica.

—Les he dicho que tenías que vomitar. El Lacayo está enfadado porque no has preguntado antes. Me pregunto si llamará a Petra para solicitar autorización antes de hacerle el amor a su mujer.

Es una imagen que procuro no evocar.

—Te debo una. Le diré a Linus que ha sido una falsa alarma.

—¿Me contarás de qué va todo esto?

Pienso en Lulú, en todas las persecuciones frenéticas de este año que no han conducido a ninguna parte. ¿Por qué iba a ser diferente ahora?

—Probablemente sea lo que tú decías: una falsa alarma —le digo a Max.

Aunque seguramente se convierta en una piedra en el zapato que me sacará de quicio el resto del día y me impedirá dejar de pensar en la carta, en su paradero, en qué dice, en quién la escribió. Cuando termina el ensayo, siento una especie de urgencia por saberlo y, si bien la lluvia ha arreciado y me siento agotado, decido probar con Marjolein. No coge el teléfono y no quiero esperar hasta mañana. Vive cerca de aquí, en la planta baja de una casa grande en un barrio elegante situado en el lado sur del parque. Siempre me ha dicho que podía visitarla a cualquier hora.

—Willem —dice al abrir la puerta. Lleva un vaso de vino en una mano y un cigarrillo en la otra, y no parece alegrarse de que me haya dejado caer por allí. Estoy calado hasta los huesos y no me invita a entrar—. ¿Qué te trae por aquí?

—Siento molestarte, pero estoy intentando encontrar una carta.

—¿Una carta?

—La enviaron al barco en primavera.

—¿Por qué sigues recibiendo correo en el barco?

—No lo recibo, pero alguien la envió allí.

Marjolein sacude la cabeza.

—Si llegó al barco, lo habrán enviado a la oficina y después a la dirección que nos facilitaste.

—¿En Utrecht?

Marjolein suspira.

—Probablemente. ¿Puedes llamarme por la mañana?

—Es importante.

Suspira de nuevo.

—Prueba con Sara. Es ella la encargada del correo.

—¿Tienes su número?

—Yo pensaba que lo tendrías —dice.

—Hace mucho que no.

Suspira una vez más y saca el móvil.

—No empieces nada con ella.

—No lo haré —le prometo.

—Claro. Eres un hombre nuevo.

No alcanzo a discernir si está siendo sarcástica o no.

Dentro, la música cambia, y pasa de un jazz suave a algo más furioso, con trompetas estridentes, y reparo en que no está sola.

—Ya te dejo —le digo.

Marjolein se inclina para darme un beso de despedida.

—Tu madre estará encantada de que te haya visto.

Se dispone a cerrar la puerta.

—¿Puedo preguntarte una cosa sobre Yael?

—Claro —dice como ausente, pues ya ha centrado su atención en la cálida casa y en quienquiera que la espere dentro.

—¿Ha hecho, no sé, alguna cosa para ayudarme de la que yo no tenga conocimiento?

Su rostro está medio oculto en las sombras, pero su amplia sonrisa brilla en el reflejo de la luz.

—¿Qué te ha dicho?

—No me ha dicho nada.

Marjolein niega con la cabeza.

—Entonces yo tampoco puedo. —Empieza a cerrar la puerta de nuevo, pero se detiene—. ¿Durante todos esos meses que estuviste fuera llegaste a plantearte por qué tu cuenta bancaria nunca se quedó a cero?

No había pensado en ello. Rara vez utilicé la tarjeta, pero, cuando lo hice, funcionó siempre.

—Había alguien vigilando en todo momento —afirma Marjolein. Todavía está sonriendo cuando cierra la puerta.

41

Utrecht

Todo lleva demasiado tiempo. El tren llega con demora y la cola para el servicio de bicicletas es demasiado larga, así que cojo un autobús y se detiene a recoger a todas las ancianas de la ciudad. No debería haber salido tan tarde, pero ya iba con retraso cuando localicé a Sara esta mañana. He tenido que engatusarla un poco hasta que finalmente ha recordado que había una carta. No la leyó y no recuerda de dónde venía. Pero cree que la envió a la dirección que tenía en los archivos. La de Utrecht. No hace tanto.

Cuando llego a Bloemstraat es casi mediodía. El segundo ensayo técnico es a las dos en Ámsterdam. En la vida no tengo otra cosa salvo tiempo, pero nunca es suficiente cuando lo necesito.

Llamo al timbre con forma de globo ocular. No obtengo respuesta. No sé quién vive aquí en este momento. En el tren envié un mensaje a Broodje, pero no respondió. Luego recordé que está en mitad del Egeo con Candace, cuyo nombre conoce, cuyo número de teléfono y dirección de correo electrónico consiguió antes de abandonar México.

La puerta principal está cerrada, pero todavía conservo la llave y funciona. Empezamos con buen pie.

—Hola —digo, y se oye un eco dentro de la casa vacía. Ya no se parece al lugar donde yo vivía. Ya no está el sofá lleno de bultos. Ya no huele a chicos. Incluso las flores de Picasso han desaparecido.

Hay una mesa de comedor con el correo esparcido encima. Escudriño las montoneras lo más rápido posible, pero no veo nada, así que aminoro el ritmo y metódicamente reviso cada carta y las clasifico en pilas ordenadas: para Broodje, para Henk, para W, incluso algunas para Ivo, que todavía recibe la correspondencia aquí, y para un par de chicas que no conozco y que deben de ser las inquilinas. Hay correo para mí, en su mayoría cartas devueltas de la universidad y un catálogo de viajes de la agencia en la que compré los billetes para México.

Miro hacia lo alto de las escaleras. Puede que la carta esté allí. O en la buhardilla. O en uno de los armarios. O quizá no sea la que envió Sara. Puede que todavía esté en Nieuwe Prinsengracht. O en la oficina de Marjolein.

O puede que no sea una carta de Lulú. Tal vez sea otra vana esperanza que he conjurado.

Oigo un tictac. En la repisa de la chimenea, donde colgaba el Picasso, hay un anticuado reloj de madera, como el que tenía Saba en su piso de Jerusalén. Fue uno de los pocos objetos que Yael conservó después de su muerte. Me pregunto dónde estará ahora.

Son las doce y media. Si quiero coger a tiempo el tren para el ensayo técnico debo marcharme ya. De lo contrario, llegaré tarde. ¿Y llegar tarde al ensayo técnico? Lo único más grave para Petra sería no personarse en una función. Pienso en el sustituto original, reemplazado porque tenía que perderse tres ensayos. Es demasiado tarde para que otro ocupe mi lugar, pero eso no significa que Petra no pueda despedirme. Al fin y al cabo, no soy más que una sombra.

Ahora mismo, ser despedido no supondrá ninguna diferencia material en mi vida. Pero no quiero que me echen. Y, además, no quiero delegar esa decisión en Petra. Si llego tarde, eso es exactamente lo que ocurrirá.

De repente, la casa me parece enorme, como si fuera a llevarme años registrar todas las habitaciones. El momento me parece aún mayor.

Ya he tirado la toalla con Lulú en otras tantas ocasiones. En Utrecht. En México. Pero tenía la sensación de que estaba rindiéndome, como si estuviera renunciando a mí mismo. Pero esto parece distinto, como si Lulú me hubiera traído a este lugar y, por primera vez en mucho tiempo, estuviese en el umbral de algo real. Puede que este sea el sentido de todo ello. Puede que este sea el lugar donde muere el camino.

Pienso en las postales que dejé en su maleta. Escribí «lo siento» en una de ellas. Solo ahora comprendo que en realidad debería haber escrito «gracias».

«Gracias», digo en voz baja a la casa vacía. Sé que nunca lo oirá, pero eso no parece tener ninguna importancia.

Luego tiro el correo en el cubo de reciclaje, cierro la puerta y regreso a Ámsterdam.

Segunda parte

UN DÍA

42

Agosto, Ámsterdam

Suena el teléfono y yo estoy durmiendo. Son dos cosas que no deberían ocurrir simultáneamente. Abro los ojos y lo busco, pero sigue sonando, chillando en la quietud de la noche.

Se enciende una luz. Broodje, desnudo como un recién nacido, se planta frente a mí con los ojos entrecerrados a causa de la luz amarilla de la lámpara y las paredes color limón del dormitorio del bebé. Me tiende el teléfono.

—Es para ti —balbucea, y luego apaga la luz y vuelve medio dormido a la cama.

Me llevo el teléfono a la oreja y oigo las cuatro palabras que uno no quiere escuchar en mitad de la noche.

—Ha habido un accidente.

Se me encoge el estómago y oigo un pitido en los oídos mientras espero a conocer su nombre. Yael. Daniel. Fabiola. El bebé. Una sustracción en mi familia que ya no puedo soportar.

Pero la voz sigue hablando y tardo un minuto en acompasar la respiración y oír lo que me dice. «Bicicleta», «moto», «tobillo», «fractura», «función» y «emergencia», y es entonces cuando do comprendo que no es esa clase de accidente.

—¿Jeroen? —digo al fin, aunque ¿quién si no? Me entran ganas de reír. No por la ironía, sino por el alivio.

—Sí, Jeroen —espeta Linus. Jeroen el invencible, atropellado por un motociclista borracho. Jeroen insistiendo en que puede hacerlo igualmente con el pie enyesado y quizá también durante las representaciones del próximo fin de semana. Pero ¿y este fin de semana?

—Puede que tengamos que cancelar —dice Linus—. Te necesitamos en el teatro cuanto antes. Petra quiere ver de qué eres capaz.

Me froto los ojos. La luz se cuela entre las persianas. Por lo visto no es de noche. Linus me indica que me persone en el teatro —el de verdad, no el escenario de Vondelpark— a las ocho.

—Va a ser un día largo —me advierte.

Petra y Linus apenas levantan la vista cuando llego al teatro. Marina, con los ojos endrinos, me lanza una mirada cansada y comprensiva. Tiene un bollo en la mano, lo parte en dos mitades y me da una.

—Gracias —digo—. No he tenido tiempo de comer.

—Ya me figuraba —responde.

Me siento al borde del escenario junto a ella.

—¿Qué ha ocurrido?

Marina arquea una ceja.

—El karma es lo que ha ocurrido. —Se pasa un mechón por detrás de la oreja—. Sé que su broma favorita es jactarse de su historial intachable, y se lo he oído muchas veces y no ha sucedido nada. —Hace una pausa para limpiarse las migas del regazo—. Pero nadie se ríe así del destino sin que este acabe riéndose el último. El único problema es que no solo le afecta a él. Puede que haya que cancelar el resto de las funciones.

—¿Cancelar? Creía que era solo la de esta noche.

—Jeroen no podrá actuar en las funciones de este fin de semana y, aunque pueda hacerlo con el yeso que por lo visto tendrá que llevar mes y medio, habrá que reorganizarlo todo. Además, está el seguro. —Suspira—. Quizá sea más fácil cancelar.

Se me hunden los hombros bajo el peso de tal afirmación. Así me lo tomo.

—Empiezo a creer en la maldición de Mackers —le digo a Marina.

Ella me mira con unos ojos que aúnan inquietud y compasión. Parece estar a punto de decir algo cuando Petra me ordena que suba al escenario.

Linus parece derrotado. Pero Petra, la de los mil berrinches, está tranquila, rodeada de volutas de humo de cigarrillo cual estatua en llamas. Tardo un minuto en percatarme de que no está tranquila. Está resignada. Ya ha descartado la función de hoy.

Me subo al escenario y respiro hondo.

—¿Qué puedo hacer? —le pregunto.

—Tenemos al reparto a la espera para un ensayo general —responde Linus—. Ahora mismo nos gustaría repasar tus escenas con Marina y ver qué tal salen.

Petra apaga el cigarrillo.

—Iremos directos al primer acto, segunda escena, con Rosalina. Yo leeré a Celia y Linus a Le Beau y el duque. Empecemos justo antes de la pelea con la frase de Le Beau.

—Señor contrincante, os llama la princesa —dice Linus. Petra asiente.

—Me pongo a sus órdenes con todo respeto —intervengo con la siguiente frase de Orlando.

Hay un momento de sorpresa y todos me miran.

—Joven, ¿habéis retado al luchador Carlos? —pregunta Marina, encarnando a Rosalina.

—No, bella princesa: es él quien reta. Yo me presento como todos, para probar mi fuerza juvenil —respondo, pero no en un tono jactancioso como hace Jeroen, sino atemperando la bravuconería con un poco de incertidumbre, que ahora sé que es lo que debe de sentir Orlando.

He pronunciado estas palabras cientos de veces en las lecturas con Max, pero eran solo frases en un guion y nunca me detuve a pensar qué significaba todo aquello porque nunca me vi obligado a hacerlo. Pero al igual que mi monólogo de Sebastián cobró vida durante mi audición hace unos meses, las palabras de repente parecen cargadas de significado. Se convierten en un lenguaje que conozco.

Avanzamos y retrocedemos y llegamos a la frase de Orlando: «No causaré dolor a los míos, pues no tengo quien me llore; ni haré daño al mundo, pues en él nada posee.» Al pronunciarla noto una leve emoción en la garganta, porque entiendo a qué se refiere. Por un minuto pienso en tragarme esa emoción, pero no lo hago. Me colmo de ella y dejo que me guíe a través de la escena.

Me siento libre y a gusto al llegar al combate, en el que finjo luchar contra un oponente invisible. Conozco bien esta parte. Orlando gana la pelea, pero pierde de todos modos. Es expulsado del reino del duque y advertido de que su hermano quiere matarle.

Nos adentramos en el final de la escena. Petra, Linus e incluso Marina me miran sin mediar palabra.

—¿Seguimos? —pregunto—. ¿Hasta el segundo acto?

Asienten. Repaso esa escena con Linus, que lee el papel de Adam y, al terminar, Petra se aclara la garganta y me pide que empiece por el principio, por el monólogo inicial de Orlando, el que me salió tan mal en la segunda prueba.

Esta vez no meto la pata. Cuando termino, se impone el silencio.

—Te has aprendido la obra, eso está claro —dice Linus al fin—. ¿Y la didascalia?

—Sí, eso también —respondo.

Se muestran incrédulos. ¿Qué piensan que he estado haciendo todo este tiempo?

«Calentar butaca», me respondo a mí mismo. Y tal vez no debería sorprenderme tanto su asombro. Porque ¿acaso no pensaba yo también que eso era precisamente lo que estaba haciendo?

Petra y Linus se excusan. Tienen cosas de que hablar. Si deciden seguir adelante con la función de esta noche, a mediodía se celebrará un ensayo en el teatro con el elenco al completo, y más tarde tendré que realizar una prueba técnica en el anfiteatro solo con Linus.

—Siéntate y ten el teléfono encendido —dice Linus, que me da una palmada en la espalda y me dedica una mirada casi paternal—. Hablamos pronto.

Marina y yo nos dirigimos a un bar cercano a tomar café. Llueve, y dentro las ventanas están empañadas. Nos sentamos a una mesa. Dibujo un círculo de condensación en el cristal. Al otro lado del canal se encuentra la librería en la que encontré la copia de *Noche de reyes*. Están abriendo. Le cuento a Marina que se me pinchó una rueda y entré en la tienda, la extraña cadena de acontecimientos que me llevaron a convertirme en el sustituto de Jeroen y probablemente en Orlando.

—Nada de eso tiene que ver con la interpretación que acabas de hacer. —Marina sacude la cabeza y sonríe; es una sonrisa íntima, y es esto, más que cualquier otra cosa, lo que me ayuda a dejar de sentirme un miembro del reparto a la sombra—. Te lo tenías muy calladito.

No sé qué responder. Puede que me lo haya ocultado también a mí mismo.

—Deberías decírselo —afirma Marina, señalando a la librería— al tipo que te vendió el libro y te habló de la obra. Si continúas, deberías contarle que es en parte gracias a él.

Si continúo, habrá mucha gente a la que tendré que contárselo.

—¿Tú no querrías saberlo? —prosigue—. ¿Que, en cierto sentido, un hecho aleatorio ha tenido tanto impacto en la vida de otro? ¿Cómo le llaman a eso? ¿El efecto mariposa?

Veo al hombre abriendo la librería. Debería decírselo. Aunque a la persona a la que verdaderamente quiero contárselo, la persona que mantiene un intrincado vínculo con todo esto, la que me ha llevado hasta aquí, no puedo decírselo.

—Ya que estamos de confesiones —dice Marina—, debería explicarte que me interesas un poco desde el principio. Ese actor misterioso y reservado de quien nadie ha oído hablar nunca pero que es lo bastante bueno para ser fichado como sustituto.

¿Lo bastante bueno? Eso me sorprende. Yo creía que era lo opuesto.

—Soy totalmente contraria a los romances dentro del gremio —continúa—. Nikki dice siempre que puedes ser una excepción porque eres un reemplazo y no formas parte de la obra, pero ahora que quizás estés en ella, todavía me interesas más. —Vuelve a dedicarme esa sonrisa íntima—. Cancelaremos esta noche o terminaremos en tres semanas, pero, sea como sea, cuando haya acabado a lo mejor podríamos vernos de vez en cuando.

Ese arrebato de nostalgia por Lulú sigue en mi torrente sanguíneo, como un medicamento pasado de fecha. Marina no es Lulú. Pero Lulú ni siquiera es Lulú. Y Marina es increíble. ¿Quién sabe qué podría ocurrir?

Estoy a punto de decirle que sí, que me gustaría que nos viéramos cuando termine la obra, pero me interrumpe el teléfono. Marina mira el número y sonríe.

—Es tu destino quien llama.

43

Hay tantas cosas por hacer... A mediodía se ha organizado un ensayo con el reparto al completo. Después una prueba técnica. Tengo que volver al piso, coger algunas cosas y anunciárselo a los chicos. Y a Daniel. Y a Yael.

Broodje acaba de despertarse. Sin aliento, le doy la noticia. Cuando he terminado ya está llamando a los chicos.

—¿Se lo has dicho a tu madre? —pregunta al colgar.

—Voy a llamarla ahora.

Calculo la diferencia horaria. Todavía no son las cinco en Bombay, así que tal vez esté trabajando. Le envío un e-mail. Ya puestos, le mando otro a Daniel. En el último minuto redacto uno para Kate, le hablo del accidente de Jeroen y la invito a la función de hoy si está por la zona. Le digo incluso que puede dormir en mi casa y le doy la dirección del piso.

Estoy a punto de desconectarme, pero realizo una búsqueda rápida en la bandeja de entrada. Hay un nuevo mensaje de una dirección desconocida y pienso que es correo basura hasta que veo el asunto: carta.

Me tiembla un poco la mano al abrir el mensaje. Es de Tor. O reenviado por ella a través de alguna actriz de Guerrilla Will que no se atiene a la prohibición del correo electrónico.

Hola, Willem:
Tor me ha pedido que te envíe un e-mail para decirte que se encontró la semana pasada con Bex y le dijo que no

habías recibido esa carta. Tor estaba bastante preocupada, porque la carta era importante y se había tomado muchas molestias para hacértela llegar. Quería que supieras que era de una chica a la que conociste en París, que estaba buscándote porque te la habías tirado y habías salido por piernas (son palabras de Tor, no mías). Dijo que debes saber que las acciones tienen consecuencias. De nuevo, son palabras de Tor. No mates al mensajero. ☺ Ya sabes quién es.

¡Saludos!

JOSIE

Me desplomo sobre la cama y diferentes emociones batallan por aflorar. «Te la tiraste y saliste por piernas.» Noto el enfado de Tor. Y también el de Lulú. Se acumulan la vergüenza y el arrepentimiento, pero se frenan ahí, retenidos por alguna fuerza invisible. Porque está buscándome. Lulú también está buscándome. O lo estaba. Quizá para mandarme a paseo. Pero estaba buscándome igual que yo la buscaba a ella.

No sé qué pensar cuando entro en la cocina. Es demasiado para un solo día.

Encuentro a Broodje cascando huevos en una sartén.

—¿Quieres un *uitsmijter*? —pregunta.

Sacudo la cabeza.

—Deberías comer algo para conservar las fuerzas.

—Tengo que irme.

—¿Ahora? Henk y W están de camino. Quieren verte. ¿Pasarás por aquí antes de tu gran debut?

El ensayo da comienzo a mediodía y durará al menos tres horas. Linus dijo que después tendría un descanso antes de realizar otra lectura completa en el anfiteatro a las seis.

—Seguramente podré volver a las cuatro o las cinco.

—Fantástico. Para entonces ya deberíamos tener los planes para la fiesta.

—¿Planes para la fiesta?

—Willy, esto es importante. —Hace una pausa y me mira—. Después del año que has tenido —de los años que has tenido—, debemos celebrarlo.

—De acuerdo —digo, todavía medio aturdido.

Vuelvo a la habitación a guardar una muda para debajo del disfraz y unos zapatos. Cuando estoy a punto de salir veo el reloj de Lulú en la estantería. Lo cojo. Después de todo este tiempo sigue funcionando. Lo sostengo en la mano un momento y me lo meto en el bolsillo.

44

En el teatro se ha reunido el resto del reparto. Max se me acerca por detrás.

—Te estoy cubriendo —susurra.

Estoy a punto de preguntarle a qué se refiere, pero entonces lo veo. Durante casi tres meses he sido casi invisible para muchas de esas personas, un miembro del elenco en la sombra. Y ahora el foco de atención es deslumbrante y ya no puedo aferrarme a la seguridad que confiere la oscuridad. La gente me mira con una particular mezcla de desconfianza y condescendencia, un sentimiento que rememoro de cuando viajaba y pasaba por ciertos barrios en los que los de mi clase no solían adentrarse. Igual que hacía cuando viajaba, finjo no percatarme y sigo adelante. Pronto, Petra está dando palmas para congregarnos a todos.

—No tenemos tiempo que perder —dice Linus—. Haremos un ensayo modificado y nos saltaremos las escenas en las que no aparece Orlando.

—Entonces ¿por qué nos habéis citado a todos? —murmura Geert, que interpreta los papeles de uno de los hombres de Federico y Silvio; prácticamente no tiene escenas con Orlando.

—Lo sé. Sentarse a ver actuar a otros es una pérdida de tiempo —dice Max con una voz tan sincera que Geert tarda unos segundos en tener a bien mostrarse humillado.

Max dibuja una sonrisa asimétrica. Me alegro de que esté aquí.

—He convocado a todo el mundo —dice Petra con una paciencia exagerada que denota que está quedándose sin reservas— para que podáis acostumbraros a los ritmos de un actor nuevo y para que todos podamos ayudar a Willem a que la transición entre él y Jeroen sea lo menos accidentada posible. Lo idóneo sería que ni siquiera notéis la diferencia.

Max pone los ojos en blanco y, una vez más, me alegro de que esté aquí.

—Ahora desde el principio, por favor —dice Linus, dando golpecitos en el portapapeles—. No hay decorado ni acotaciones, así que haced lo que podáis.

En cuanto subo al escenario me siento aliviado. Este es mi lugar. En la cabeza de Orlando. A medida que avanzamos, descubro más cosas acerca de mi personaje. Descubro la relevancia de esa primera escena en la que se conocen él y Rosalina. Son solo unos instantes, pero ven algo en el otro, reconocen alguna cosa. Y que la llama sostiene la pasión entre ambos durante el resto de la obra. No vuelven a verse —que ellos sepan— hasta el final.

Shakespeare compuso semejante danza en solo unas páginas de texto. Orlando está a punto de enfrentarse a un hombre más fuerte que él, pero se pavonea delante de Rosalina y Celia para impresionarlas. Tiene miedo, debe tenerlo, pero, en lugar de demostrarlo, se marca un farol. Coquetea. «Que vuestros bellos ojos y nobles deseos me acompañen en la prueba», dice.

El mundo se rige por momentos. Y en esta obra, es el momento en que Rosalina dice: «Ojalá pudiera daros la poca fuerza que tengo.»

Es esa precisa frase la que rompe la fachada de Orlando, la que revela qué hay debajo. Rosalina ve a Orlando. Él la ve a ella. Esa es toda la obra, ahí mismo.

Siento las frases como no lo he hecho nunca, como si comprendiera las verdaderas intenciones de Shakespeare. Me siento como si existieran una Rosalina y un Orlando y yo estuviera aquí para representarlos. No es actuar en una obra. Va mucho más allá de eso. Es mucho más grande que yo.

—Pausa de diez minutos —anuncia Linus al final del primer

acto. Todo el mundo sale a fumar o a tomar café, pero yo soy reacio a abandonar el escenario.

—Willem —me dice Petra—. Quiero hablar contigo un momento.

Está sonriendo, cosa que no hace con frecuencia, y al principio lo interpreto como placer, porque ¿no es eso lo que transmite una sonrisa?

El teatro se vacía. Ahora solo quedamos los dos. Ni siquiera está Linus.

—Quería decirte lo impresionada que estoy —empieza.

En mi interior soy un niño pequeño sonriendo la mañana de su cumpleaños porque está a punto de recibir regalos. Pero intento mantener un semblante profesional.

—Con tan poca experiencia, que conozcas tan bien el lenguaje... Nos conmovió la comodidad que mostraste con el lenguaje en tu audición, pero esto... —Sonríe de nuevo y ahora me doy cuenta de que recuerda un poco a un perro enseñando los colmillos—. Y te sabes la didascalia al dedillo. Linus me ha dicho que incluso te has aprendido parte de la coreografía de la pelea.

—Observé —le digo—. Presté atención.

—Excelente. Eso es justamente lo que debías hacer. —Y ahí está de nuevo esa sonrisa, pero ahora empiezo a dudar que refleje placer alguno—. Hoy he hablado con Jeroen —continúa.

No digo nada, pero se me retuerce el estómago. Todo esto para que ahora Jeroen vuelva atropelladamente con su escayola.

—Está enormemente avergonzado por lo ocurrido, pero sobre todo se siente decepcionado por haber dejado plantada a su compañía.

—Nadie tiene la culpa. Sufrió un accidente —respondo.

—Sí, por supuesto. Un accidente. Él quiere volver las dos últimas semanas de la temporada y haremos lo que esté en nuestra mano por satisfacer sus necesidades, porque eso es lo que hay que hacer cuando formas parte de un reparto. ¿Lo entiendes?

Asiento, aunque no comprendo realmente adónde quiere llegar.

—Entiendo lo que has intentado hacer ahí arriba con tu Orlando.

«Tu Orlando.» Algo en su manera de decirlo me indica que no será mío por mucho tiempo.

—Pero el papel del sustituto no es aportar su interpretación al papel —continúa—. Es interpretarlo tal como lo hacía el actor al que está reemplazando. Así que, en la práctica, no estás encarnando a Orlando, sino a Jeroen Gosslers interpretando a Orlando.

«Pero el Orlando de Jeroen está mal», pienso. Es todo machismo, pavoneo y no revelar nada; y sin vulnerabilidad, Rosalina no le amaría, y si Rosalina no le ama ¿por qué iba a interesarle al público? Me dan ganas de decir: «Dejadme hacer esto. Dejadme hacerlo bien esta vez.»

Pero no digo nada de todo eso y Petra solo me mira. Finalmente, pregunta:

—¿Te ves capaz de hacerlo?

Sonríe de nuevo. Qué tonto he sido —precisamente yo— al no haber interpretado su sonrisa como lo que era.

—Todavía podemos cancelar las funciones del fin de semana —añade con un tono suave e inequívocamente amenazador—. Nuestra estrella ha sufrido un accidente. Nadie nos criticaría por ello.

Te dan algo, te quitan algo. ¿Es que siempre tiene que funcionar así?

Los actores empiezan a entrar en el teatro terminado el descanso de diez minutos, preparados para volver al trabajo, para que esto suceda. Cuando nos ven a Petra y a mí hablar, se quedan callados.

—¿Entendido? —pregunta con una voz tan amigable que suena casi a sonsonete.

Vuelvo a observar a los actores. Miro a Petra y asiento. Entendido.

45

Cuando Linus nos deja marcharnos por la tarde, salgo corriendo hacia la puerta.

—Willem —dice Max.

—Willem —dice también Marina.

Las despido con un gesto. Tienen que tomarme medidas para el vestuario y luego solo dispongo de dos horas hasta que Linus se reúna conmigo para revisar las acotaciones en el escenario del anfiteatro. En cuanto a lo que puedan decir Marina y Max: si son cumplidos por mi actuación, tan parecida a la de Jeroen que Petra estaba impresionada, no quiero oírlos. Si es para preguntarme por qué lo interpreto así cuando antes lo hacía de manera tan distinta, de verdad, no quiero oírlo.

—Tengo que irme —les digo—. Nos vemos esta noche.

Parecen heridas, cada una a su manera, pero me alejo de ellas.

De vuelta en el piso, encuentro a W, Henk y Broodje manos a la obra con unas páginas de bloc amarillas sobre la mesita.

—Ahí está Femke —está diciendo Broodje—. Ah, pero si es la estrella.

Henk y W me felicitan y me limito a sacudir la cabeza.

—¿Qué es todo esto? —pregunto, señalando el proyecto extendido sobre la mesa.

—Tu fiesta —responde W.

—¿Mi fiesta?

—La que vamos a celebrar esta noche —dice Broodje.

Suspiro. Se me había olvidado.

—No quiero una fiesta.

—¿Cómo que no quieres una fiesta? —pregunta Broodje—. Dijiste que te parecía bien.

—Pues ahora no. Canceladla.

—¿Por qué? ¿No vas a actuar?

—Sí, voy a actuar. —Entro en mi habitación—. Nada de fiestas —grito.

—Willy —dice Broodje.

Cierro la puerta de golpe y me tumbo en la cama. Cierro los ojos e intento dormir, pero no puedo. Me incorporo y hojeo un ejemplar del *Voetbal International* de Broodje, pero tampoco me distrae. Lo dejo de nuevo en la estantería y se cae junto al gran sobre marrón. Son las fotografías que descubrí en la buhardilla el mes pasado.

Abro el sobre y miro las fotos. Me recreo en una en la que aparecemos Yael, Bram y yo en mi dieciocho cumpleaños. Es como un dolor; cuánto los echo de menos. Cuánto la echo de menos. Estoy cansado de echar de menos cosas que no tengo.

Cojo el teléfono sin calcular siquiera la diferencia horaria.

Yael responde de inmediato. Y, como aquella otra vez, no encuentro las palabras. Pero Yael sí. Esta vez sí.

—¿Qué te pasa? Cuéntamelo.

—¿Recibiste mi e-mail?

—No lo he mirado. ¿Hay algún problema?

Parece aterrorizada. Debería haberlo imaginado. Llamadas sin venir a cuento. Requieren un mensaje tranquilizador.

—No es nada de eso.

—¿Nada como qué?

—Como antes. No hay nadie enfermo, aunque una persona se ha roto un tobillo.

Le cuento lo de Jeroen y que interpretaré su papel.

—Pero ¿eso no debería hacerte feliz? —pregunta.

Yo pensaba que me haría feliz. Esta mañana me hizo muy feliz. Esta mañana, saber que la carta era de Lulú me hizo feliz. Pero ahora se ha desvanecido y lo único que siento es su recriminación. Cómo puede oscilar el péndulo en un solo día. Sé que ya debería ser consciente de ello a estas alturas.

—Por lo visto no.

Yael suspira.

—Pero Daniel me dijo que parecías muy lleno de energía.

—¿Has hablado con Daniel sobre mí?

—Varias veces. Le pedí consejo.

—¿Le pediste consejo a Daniel?

Por algún motivo, esto me resulta incluso más asombroso que el hecho de que le preguntara por mí.

—Quería saber si creía que debía pedirte que volvieras aquí. —Hace una pausa—. A vivir conmigo.

—¿Quieres que vuelva a India?

—Si tú quieres. Podrías actuar aquí. Al parecer te fue bien, y podríamos buscar un piso más grande. Algo lo bastante grande para los dos. Pero Daniel pensó que debía esperar. Creía que habías encontrado algo.

—No he encontrado nada. Y podrías habérmelo preguntado.

Mis palabras suenan muy amargas.

Ella también debe de haberlo notado, pero su voz es sosegada.

—Te lo estoy preguntando, Willem.

Y me doy cuenta de que así es. Después de todo este tiempo. Se me llenan los ojos de lágrimas. Estoy agradecido, en ese pequeño momento, por los miles de kilómetros que nos separan.

—¿Cuándo podría ir? —pregunto.

Se impone el silencio y me da la respuesta que necesito.

—En cuanto quieras.

La obra. Tendré que hacerla este fin de semana y luego volverá Jeroen o puedo dejarlo.

—¿El lunes?

—¿El lunes? —Parece un tanto sorprendida—. Tendré que preguntarle a Mukesh qué puede hacer.

El lunes. Faltan tres días. Pero ¿por qué iba a quedarme aquí? El piso está terminado. Pronto, Daniel y Fabiola habrán vuelto con el bebé y no habrá sitio para mí.

—¿Es demasiado pronto? —pregunto.

—No lo es —dice ella—. Simplemente estoy agradecida de que no sea demasiado tarde.

Se me hace un nudo en la garganta y no puedo hablar. Pero no es necesario, porque lo hace Yael, en cascada, disculpándose por guardar las distancias conmigo, diciéndome lo que siempre decía Bram, que no era yo, que era ella, Saba, su infancia. Todo lo que ya sabía pero no comprendía hasta ahora.

—Mamá, no pasa nada —interrumpo.

—Sí que pasa —dice.

No, no pasa, porque entiendo que la gente intente huir, que a veces escapes de una prisión para descubrir que te has construido otra.

Es curioso, porque creo que mi madre y yo acabaremos hablando el mismo idioma. Pero, por la razón que sea, las palabras ya no parecen tan necesarias.

46

Cuelgo el teléfono con la sensación de que alguien ha abierto una ventana y ha dejado que entre el aire. Eso ocurre cuando viajas. Un día todo parece inútil, perdido. Y luego coges un tren o recibes una llamada y se abre un nuevo mapa de opciones. Petra y la obra parecían algo, pero quizás eran solo el último rincón al que me había arrastrado el viento. Y ahora vuelve a soplar en dirección a India. Con mi madre. Hacia el lugar al que pertenezco.

Todavía sostengo el sobre con las fotos. Una vez más, he olvidado preguntarle a Yael por ellas. Observo la de Saba y la chica misteriosa y ahora sé por qué me resultó familiar la primera vez que la vi. Con su cabello oscuro, su sonrisa pícara y su media melena se parece un poco a esa tal Louise Brooks... Cojo el recorte de periódico... Esa tal Olga Szabo. ¿Quién era? ¿La novia de Saba? ¿Fue la pareja de Saba que escapó?

No sé muy bien qué hacer con ellas. Lo más prudente sería guardarlas otra vez en la buhardilla, pero me da la sensación de que estaría encarcelándolas. Podría hacer copias y llevarme los originales, pero a lo mejor se extravían.

Contemplo la fotografía de Saba y cojo una de Yael. Pienso en la vida imposible que tuvieron juntos, porque Saba la quería mucho y hacía todo lo que podía por que estuviera sana y salva. No sé si es posible amar algo y a la vez querer mantenerlo sano y salvo. Amar a alguien es un hecho peligroso por naturaleza. Y, sin embargo, la seguridad de la vida radica en el amor.

Me pregunto si Saba lo entendía. Al fin y al cabo, era él quien decía siempre: «la verdad y su contrario son dos caras de la misma moneda».

47

Son las cuatro y media. No he de citarme con Linus hasta las seis para una prueba técnica rápida antes de que se alce el telón. En el salón oigo a Broodje y los chicos. No quiero enfrentarme a ellos. No puedo imaginarme anunciándoles que vuelvo a India en tres días.

Dejo el teléfono sobre la cama, salgo y les digo adiós. Broodje me mira con tristeza.

—¿Quieres que salgamos esta noche al menos? —Le pregunta.

No quiero. Pero no puedo ser tan cruel. Con él no.

—Claro —miento.

Abajo me encuentro con mi vecina, la señora Van Der Meer, que va a pasear al perro.

—Parece que por fin sale el sol —me dice.

—Estupendo —respondo, aunque esta vez preferiría la lluvia. La gente guarda las distancias si llueve.

Pero, sin duda, el sol está abriéndose paso entre las testarudas nubes. Me dirijo al parquecito que hay al otro lado de la calle. Casi he cruzado las puertas cuando oigo a alguien llamarme. Sigo caminando. Hay mil Willems. Pero cada vez grita más y luego dice en inglés:

—Willem, ¿eres tú?

Me detengo. Me doy la vuelta. No es posible.

Pero lo es. Kate.

—¡Gracias a Dios! —exclama mientras corre hacia mí—. Te

he estado llamando y no respondías, y luego fui a tu casa pero tu estúpido timbre no funciona. ¿Por qué no lo cogías?

Tengo la sensación de que mandé ese correo electrónico hace un año, desde otro mundo. Ahora me avergüenzo de haberlo hecho, de haberle pedido que viniera hasta aquí.

—Me lo he dejado en el piso.

—Menos mal que vi a tu vecina paseando al perro y me dijo que habías venido por aquí. Es como uno de tus pequeños accidentes. —Se pone a reír—. Es un día de esos, porque tu e-mail llegó en el momento más oportuno. David quería llevarme sí o sí a la *Medea* vanguardista más espantosa esta noche en Berlín y estaba buscando desesperadamente una excusa para no ir. Esta mañana recibí tu correo y vine aquí. Estaba en el avión cuando me di cuenta de que no tenía ni idea de dónde actuabas. No respondías al teléfono y me entró el pánico, así que pensé en buscarte. Pero ahora aquí estamos y todo va bien. —Se pasa una mano exageradamente por la frente—. ¡Buf!

—Buf —digo con un hilo de voz.

El radar de Kate se activa.

—O tal vez no buf.

—Tal vez no.

—¿Qué pasa?

—¿Puedo pedirte un favor?

Le he pedido muchas cosas a Kate. Pero ¿tenerla allí? Puede que Broodje y los chicos no lo entiendan, pero Kate sí. Ella es capaz de ver más allá de las sandeces.

—Por supuesto.

—¿Puedes no ir esta noche?

Se echa a reír como si fuera una broma, pero se da cuenta de que no lo es.

—Ah —dice, poniéndose seria—. ¿No vas a actuar? ¿Se ha curado misteriosamente el tobillo del otro Orlando?

Respondo que no, bajo la cabeza y veo que Kate lleva una maleta. Ha venido directa del aeropuerto, literalmente, para verme.

—¿Dónde te alojas? —pregunto.

—En el único lugar que pude encontrar en el último minuto. —Saca un trozo de papel de la bolsa—. ¿Hotel Major Rug? —dice—. No tengo ni idea de cómo se pronuncia, y mucho menos dónde está. —Me tiende el papel—. ¿Lo conoces?

«Hotel Magere Brug.» Sé exactamente dónde está. He pasado frente a él casi todos los días de mi vida. Los fines de semana servían pastas caseras en el vestíbulo, y a veces Broodje y yo nos colábamos a comer unas cuantas. El director fingía no percatarse.

Le cojo la maleta.

—Vamos. Te llevaré a casa.

La última vez que estuve en el barco fue en septiembre; llegué hasta el muelle y di media vuelta. Parecía vacío, torturado, como si estuviese llorando su pérdida, lo cual tenía cierto sentido, porque lo construyó él. Incluso la clemátide que había plantado Saba —«porque incluso un país cubierto de nubes necesita sombra»— y que en su día invadió la cubierta estaba marchita y marrón. Si Saba hubiera estado allí, la habría podado. Es lo que siempre hacía cuando regresaba en verano y encontraba las plantas afligidas por su ausencia.

Ahora la clemátide ha vuelto, frondosa y silvestre, y ha dejado caer pétalos púrpura por toda la cubierta, que está llena de flores, celosías, cepas, pérgolas, macetas y cosas en flor.

—Esta era mi casa —le explico a Kate—. Aquí me crie.

Kate ha permanecido en silencio casi todo el trayecto en tranvía.

—Es hermosa —dice.

—La construyó mi padre.

Puedo ver la sonrisa y el guiño de Bram, oírle anunciar, como si no se dirigiera a nadie en concreto: «necesito un ayudante esta mañana». Yael se escondía debajo del edredón. Diez minutos después, yo tenía un taladro en la mano.

—Aunque yo también ayudé. Hacía tiempo que no venía. Tu hotel está a la vuelta de la esquina.

—Qué coincidencia —dice.

—A veces creo que todo lo es.

—No, no todo lo es. —Me mira y pregunta—: ¿Qué pasa, Willem? ¿Miedo escénico?

—No.

—¿Entonces?

Le cuento que esta mañana he recibido la llamada. Ese momento durante el primer ensayo en el que descubrí algo nuevo, algo real en Orlando, y que todo se ha ido al garete.

—Ahora solo quiero subir ahí, actuar y que todo acabe —le digo—. Con el menor número de testigos posible.

Espero comprensión o un consejo indescifrable pero relevante sobre el arte de la interpretación. Por el contrario, se echa a reír, con resoplidos y todo, y dice:

—Supongo que estás de broma.

No estoy de broma. No digo nada.

Kate intenta contenerse.

—Lo siento, pero te ponen delante de las narices la oportunidad de tu vida, finalmente consigues uno de tus gloriosos accidentes, y vas a permitir que una pésima orientación te lo estropee.

Hace que parezca algo leve, un mal consejo. Pero a mí me parece mucho más. Una bofetada en la cara; no es una mala orientación, sino una reorientación. «Esta no es la manera.» Y justo cuando pensaba que verdaderamente había encontrado algo. Intento buscar las palabras para explicar esto... esta traición.

—Es como encontrar a la chica de tus sueños —empiezo.

—¿Y darte cuenta de que no le preguntaste cómo se llamaba? —apostilla Kate.

—Iba a decir «descubrir que en realidad es un chico. Que te has equivocado por completo».

—Eso solo ocurre en las películas. O en Shakespeare. Aunque es curioso que menciones a la chica de tus sueños, porque he estado pensando en tu chica, la que andabas persiguiendo en México.

—¿Lulú? ¿Qué tiene que ver ella con esto?

—Estaba contándole a David tu historia y me hizo una pregunta ridículamente simple con la que llevo obsesionada desde entonces.

—¿Cuál?

—Es sobre tu mochila.

—¿Has estado obsesionada con mi mochila?

Intento que suene a broma, pero, de pronto, se me acelera el corazón. «Te la tiraste y saliste por piernas.» Puedo oír el disgusto de Tor con ese acento suyo de Yorkshire.

—La cuestión es la siguiente. Si solo salías a comprar café, unos cruasanes, reservar una habitación de hotel o lo que fuera ¿por qué llevabas contigo la mochila con todas tus cosas dentro?

—No era una mochila grande. Tú misma la viste. Era la que llevaba en México. Siempre llevo un equipaje ligero cuando viajo.

Hablo demasiado rápido, como la gente que tiene algo que ocultar.

—Sí, sí. Equipaje ligero para poder seguir adelante. Pero volvías a esa casa ocupada y, si no recuerdo mal, tenías que trepar por un edificio de dos plantas. ¿No es así? —Asiento—. ¿Y llevabas la mochila contigo? ¿No habría sido más sencillo dejar la mayoría de tus cosas allí? Te habría sido más fácil trepar. Como mínimo, habría sido un indicio inequívoco de que pensabas volver.

Yo estaba en aquella cornisa, con una pierna dentro y otra fuera. Una ráfaga de viento, tan repentina y fría después de aquel calor, me atravesó. Dentro oía crujidos mientras Lulú se daba la vuelta y se envolvía con el edredón. La observé unos instantes y, al hacerlo, me invadió un sentimiento con más fuerza que nunca. Pensé: «Tal vez debería esperar a que despertara.» Pero ya había salido por la ventana y vi una pastelería en la misma calle.

Aterricé con fuerza en un charco y el agua de lluvia me salpicó los pies. Cuando volví a mirar hacia la ventana, con la cortina blanca mecida por la brisa, sentí tristeza y alivio al mismo tiempo, la pugna entre la pesadez y la ligereza. Una me elevaba y la otra me empujaba hacia abajo. Entonces lo entendí: Lulú y yo habíamos empezado algo, algo que yo siempre había querido, pero también algo que tenía miedo de conseguir. Algo de lo que deseaba más. Y, también, algo de lo que quería huir. La verdad y su contrario.

Me dirigí a la pastelería sin saber muy bien qué hacer, sin saber muy bien si debía volver y quedarme otro día, pero consciente de que, si lo hacía, todo esto acabaría estallando. Compré los cruasanes, todavía indeciso. Y entonces doblé una esquina y allí estaban los *skinheads*. De un modo retorcido, me sentí aliviado: ellos tomarían la decisión por mí.

Pero en cuanto desperté en aquel hospital, incapaz de recordar a Lulú, su nombre o dónde estaba, pero desesperado por encontrarla, comprendí que había sido la decisión errónea.

—Iba a volver —le digo a Kate. Pero hay una veta de incertidumbre en mi voz y abre en canal mi engaño.

—¿Sabes qué pienso, Willem? —pregunta Kate sosegadamente—. Creo que actuar y esa chica son lo mismo. Cuando te acercas a algo te asustas, así que encuentras la manera de distanciarte.

En París, el momento en que Lulú me hizo sentir más seguro, cuando se interpuso entre los *skinheads* y yo, cuando se ocupó de mí, cuando se convirtió en mi chica de montaña, casi la eché de allí. En aquel momento, cuando habíamos encontrado la seguridad, la miré, percibiendo la determinación que ardía en sus ojos, el amor que ya estaba allí, inverosímil después de solo un día. Y lo sentí todo —querer y necesitar—, pero también el miedo, porque sabía qué ocurría cuando perdías ese tipo de cosas. Quería estar protegido por su amor y estar protegido de él.

En aquel momento no lo entendía. El amor no es algo que se proteja. Es algo que se arriesga.

—¿Sabes cuál es la ironía de la interpretación? —barrunta Kate—. Llevamos mil máscaras, somos expertos del disfraz, pero el único lugar en el que es imposible esconderse es el escenario. No me extraña que te entrara el pánico. ¡Y encima Orlando!

Tiene razón una vez más. Sé que la tiene. Hoy, Petra no ha hecho sino brindarme una excusa para emprender otra huida. Pero lo cierto es que aquel día no quería huir de Lulú. Y ahora tampoco.

—¿Qué es lo peor que puede ocurrirte si esta noche lo haces a tu manera? —pregunta Kate.

—Me despedirá.

Pero si lo hace, lo decidirán mis acciones, no mi inacción. Empiezo a sonreír. Es tentador, pero real.

Kate corresponde a mi sonrisa con una gran versión estadounidense.

—Ya sabes lo que yo digo: hazlo a lo grande o vete a casa.

Contemplo el barco; impera el silencio, pero el jardín está más exuberante y cuidado de lo que nunca lo estuvo con nosotros. Es un hogar, pero no es mío, sino de otro.

«Hazlo a lo grande o vete a casa.» Se lo oí decir a Kate y no acabé de entenderlo. Pero ahora sí, aunque creo que en este caso se equivoca. Porque, para mí, no se trata de hacerlo a lo grande o irse a casa. Se trata de hacerlo a lo grande e irse a casa.

He de hacer una cosa u otra.

48

Entre bastidores. Reina la habitual locura, pero yo me siento extrañamente tranquilo. Linus me lleva al improvisado camerino, donde cambio la ropa de calle por el atuendo de Orlando, que han confeccionado apresuradamente a mi medida. Me maquillo, doblo la ropa y la guardo en las taquillas que hay detrás del escenario. Mis vaqueros, mi camisa y el reloj de Lulú. Lo sostengo en la mano un segundo más, siento la vibración del tictac en la palma y lo guardo.

Linus nos reúne y formamos un círculo. Realizamos ejercicios vocales. Los músicos afinan las guitarras. Petra me da unas instrucciones de último minuto: que busque la luz, que me concentre, que los demás actores me apoyan y que lo haga lo mejor posible. Me lanza una penetrante mirada de preocupación.

Linus anuncia que faltan cinco minutos y se pone los auriculares, y Petra se marcha. Max ha venido a la función de esta noche y se sentará en un taburete de tres patas situado en un lateral. No dice nada; me mira, se besa dos dedos y los levanta. Yo beso los mismos dos dedos de mi mano y hago lo mismo.

—Mucha mierda —me susurra alguien al oído. Es Marina, que se ha situado detrás de mí. Sus brazos me rodean rápidamente y me besa entre la oreja y el cuello. Max lo ve y sonríe con aire de superioridad.

—¡A sus puestos! —grita Linus.

No veo a Petra por ningún lado. Se esfuma antes de que se

levante el telón y no reaparecerá hasta que haya terminado la representación. Según Vincent, va a algún sitio a caminar, fumar o destripar gatitos.

Linus me agarra de la muñeca.

—Willem —dice. Lo miro. Él me da un pequeño apretón y asiente. Yo también asiento—. ¡Músicos, vamos! —ordena utilizando el micrófono.

Los músicos empiezan a tocar. Ocupo mi lugar en un lateral del escenario.

—Iluminación uno, vamos —dice Linus.

Se encienden las luces. El público murmulla.

—¡Orlando, a escena! —dice Linus.

Vacilo unos momentos. «Respira», oigo decir a Kate. Respiro.

Me martillea el corazón en la cabeza. *Pum-pum-pum*. Cierro los ojos y oigo el tictac del reloj de Lulú; es como si todavía lo llevara. Me detengo y los escucho a ambos antes de salir a escena.

Entonces, el tiempo se detiene. Es un año y un día. Una hora y veinticuatro. Es el tiempo sucediéndose de golpe.

Los últimos tres años se solidifican en este preciso instante, en mí, en Orlando. Este joven desolado que echa de menos a un padre, sin familia, sin hogar. Este Orlando, que conoce a Rosalina. Y aunque solo se hayan visto unos instantes, reconocen algo el uno en el otro.

—Ojalá pudiera daros la poca fuerza que tengo —dice Rosalina, abriéndolo todo.

«¿Quién cuida de ti?», preguntó Lulú, abriéndome entero.

—Llevad esto por mí —dice Marina en el papel de Rosalina, y me entrega la cadena de atrezo que lleva en torno al cuello.

«Yo seré tu chica de montaña y cuidaré de ti», dijo Lulú momentos antes de que le quitara el reloj de la muñeca.

Transcurre el tiempo. Sé que debe ser así. Entro en el escenario y salgo. Realizo mis entradas, cumplo las indicaciones. El sol inunda el cielo y baila hacia el horizonte, y salen las estrellas, se encienden los focos y cantan los grillos. Siento que ocurre mientras floto a la deriva por encima de todo ello. Pero estoy aquí, ahora. En este momento. En este escenario. Soy Orlando, entregándome a Rosalina. Y también soy Willem, entregándome a Lulú, como debería haber hecho un año atrás pero no pude.

—¿Y cómo voy a saber qué hora es si no hay reloj en el bosque? —digo a mi Rosalina.

«Te olvidas de que el tiempo ya no existe. Me lo diste a mí», le dije a mi Lulú.

Siento el reloj en la muñeca aquel día en París; ahora lo oigo hacer tictac. Soy incapaz de distinguir el año pasado de este. Son la misma cosa. El entonces es el ahora. El ahora es el entonces.

—No quiero curarme, pues —dice mi Orlando a la Rosalina de Marina.

—Yo os curaré si me llamáis Rosalina —replica ella.

«Yo cuidaré de ti», prometió Lulú.

—Por mi honra, y muy encarecidamente, y que Dios me ampare, y por los juramentos más inofensivos —dice Rosalina.

«He escapado del peligro», dijo Lulú.

Ambos lo hicimos. Aquel día sucedió algo. Todavía está sucediendo. Está sucediendo aquí, en este escenario. Fue solo un día y ha sido solamente un año. Pero puede que un día sea suficiente. Puede que una hora sea suficiente. Puede que el tiempo no tenga absolutamente nada que ver con ello.

—Gentil muchacho, ¡ojalá pudiera convenceros de que amo! —dice mi Orlando a Rosalina.

«Define el amor —dijo Lulú—. ¿Cómo sería estar "manchado"?»

Así, Lulú.

Sería así.

Y entonces termina. Como una gran ola que rompe en la orilla, estallan los aplausos y estoy aquí, en este escenario, rodeado de las sonrisas estupefactas y satisfechas de mis compañeros de reparto. Nos cogemos de la mano y hacemos una reverencia, y Marina me lleva hacia delante para saludar y se hace a un lado. Después me indica que dé unos pasos al frente, lo hago, y los aplausos son todavía más estruendosos.

Detrás del escenario es una locura. Max grita, Marina llora y Linus sonríe, aunque sus ojos no dejan de mirar hacia la entrada lateral por la que salió Petra hace horas. La gente me rodea, dándome palmadas en la espalda, felicitándome y besándome, y yo estoy aquí, pero no lo estoy. Todavía me hallo en un extraño limbo en el que los límites del tiempo, el espacio y la persona no existen, en el que puedo estar aquí y en París, en el que puede ser ahora y entonces, en el que soy yo y también Orlando.

Intento permanecer en este lugar mientras me cambio de ropa y me quito el maquillaje. Me miro al espejo e intento digerir lo que acabo de hacer. Me resulta completamente irreal y a la vez lo más auténtico que he hecho jamás. La verdad y su contrario. En el escenario, interpretando un papel, revelándome a mí mismo.

La gente se congrega alrededor de mí. Se habla de festejos, de una celebración, de una fiesta del reparto esta noche, aunque la función continúe dos semanas más y celebrar algo ahora sea sinónimo de mala suerte. Pero, al parecer, todo el mundo ha renunciado a la suerte esta noche. Nos la fabricamos nosotros mismos.

En ese momento llega Petra, con expresión pétrea y sin decir nada. Pasa a mi lado y va directa a Linus.

Salgo de allí y me dirijo a la puerta de acceso al escenario. Max se encuentra junto a mí, saltando como un cachorro eufórico.

—¿Marina besa decentemente? —me pregunta.

—Estoy seguro de que se alegró de no besar a Jeroen —dice Vincent, y me echo a reír.

Busco a mis amigos en el exterior. No estoy seguro de quién habrá allí. Y entonces la oigo llamarme.

—¡Willem! —dice otra vez.

Es Kate, un borrón dorado y rojo dirigiéndose hacia mí. Tengo la sensación de que mi corazón se expande cuando se me echa a los brazos y empezamos a dar vueltas.

—Lo has hecho. Lo has hecho. ¡Lo has hecho! —me murmura al oído.

—Lo he hecho. Lo he hecho. Lo he hecho —repito, riendo de felicidad, desahogo y perplejidad por el rumbo que ha tomado este día.

Alguien me toca el hombro.

—Se te ha caído una cosa.

—Ah, sí. Tus flores —dice Kate, agachándose a recoger un ramo de girasoles—. Por tu asombroso debut.

Cojo las flores.

—¿Cómo te sientes? —pregunta.

No tengo respuesta, ni palabras. Simplemente me siento pleno. Intento explicárselo, pero Kate me interrumpe.

—¿Como si hubieras tenido el mejor sexo del mundo?

Me echo a reír. Sí, algo así. Le cojo la mano y la beso y ella me rodea la cintura con el brazo.

—¿Estás listo para conocer a ese público que te adora? —pregunta.

No lo estoy. Ahora mismo solo quiero saborearlo con la persona que ayudó a que sucediera. Cogiéndola de la mano, me dirijo a un solitario banco situado debajo de un quiosco e intento expresar lo que acaba de suceder.

—¿Cómo ha pasado? —es lo único que se me ocurre preguntar.

Coge mis manos en las suyas.

—¿De verdad necesitas preguntar eso?

—Creo que sí. Me ha parecido sobrenatural.

—Oh, no —dice riéndose—. Yo creo en las musas y todo eso, pero no atribuyas esa actuación a uno de tus accidentes. Eras tú ahí arriba.

Lo era y no. Porque no estaba solo.

Nos quedamos un rato allí sentados. Noto que mi cuerpo vibra, bulle. La noche es perfecta.

—Creo que te esperan tus *groupies* —dice Kate a la postre, señalando detrás de mí. Me doy la vuelta y allí están Broodje, Henk, W, Lien y otras personas, que nos observan con curiosidad. Cojo a Kate de la mano y se la presento a los chicos.

—Vienes a nuestra fiesta, ¿verdad? —pregunta Broodje.

—¿A nuestra fiesta? —pregunto.

Broodje me mira con cierta timidez.

—Es difícil desorganizar una fiesta con tan poca antelación.

—Sobre todo porque ahora ha invitado al reparto y a medio público —dice Henk.

—¡Eso no es cierto! —replica Broodje—. A la mitad no, solo a un par de canadienses.

Pongo los ojos en blanco y me río.

—De acuerdo. Vámonos.

Lien se ríe y me coge de la mano.

—Yo me despido. Uno de los dos debería estar lúcido mañana. Es día de traslado. —Besa a W y después a mí—. Bien hecho, Willem.

—Voy a seguirla hasta la salida del parque —dice Kate—. Esta ciudad me confunde.

—¿No vienes? —pregunto.

—Tengo que hacer unas cosas primero. Iré más tarde. Dejad la puerta abierta.

—Siempre —digo.

Me dispongo a besarla en la mejilla y me susurra al oído:

—Sabía que podías hacerlo.

—Sin ti no.

—No seas tonto. Solo necesitabas un discurso motivador.

Pero no me refiero al discurso. Sé que Kate cree que debo comprometerme, no confiar en los accidentes, coger el volante. Pero, si no nos hubiéramos conocido en México ¿ahora estaría aquí? ¿Fueron accidentes o voluntad?

Por enésima vez esta noche, estoy de nuevo con Lulú, en la barcaza de Jacques, bautizada con el inverosímil nombre de *Viola*. Acababa de contarme la historia de la doble felicidad y estábamos discutiendo su significado. Ella pensaba que se refería a la suerte del chico que consigue el trabajo y a la chica. Pero yo discrepaba. Era el pareado encajando, las dos mitades encontrándose. Era amor.

Pero es posible que ambos estuviéramos equivocados y tuviéramos razón. No es blanco o negro, no es suerte o amor. No es destino o voluntad.

Puede que para la doble felicidad necesites ambas cosas.

49

Dentro del piso reina un caos absoluto. Hay más de cincuenta personas, del reparto, de Utrecht, incluso viejos amigos de la escuela de mis días en Ámsterdam. No tengo ni idea de cómo ha encontrado Broodje a todo el mundo tan rápido.

Max se abalanza sobre mí en cuanto entra por la puerta, seguida de Vincent.

—Madre mía —dice Max.

—¡Podrías haber mencionado que tenías dotes de actor! —añade Vincent.

Sonrío.

—Me gusta mantener un poco de misterio.

—Sí, pero todos los miembros del reparto están encantados —dice Max—. Salvo Petra. Está tan cabreada como siempre.

—Solo porque el sustituto se ha merendado a su estrella. Y ahora tiene que decidir si pone a un actor cojo, y lo digo literal y figuradamente, o te permite conducirnos al éxito —añade Vincent.

—Decisiones, decisiones —tercia Max—. No te des la vuelta, pero Marina está mirándote otra vez con ojos de deseo.

Nos volvemos todos. Marina está mirándome y sonriendo.

—Y no lo niegues, a menos que sea yo a la que quiere tirarse —advierte Max.

—Ahora mismo vuelvo —le digo a Max, y me acerco a Marina, que se encuentra junto a la mesa que Broodje ha convertido en la barra. Lleva una jarra de algo en la mano—. ¿Qué tienes ahí? —pregunto.

—No estoy segura. Me lo ha ofrecido uno de tus compañeros y me ha prometido que no me daría resaca. He creído en su palabra.

—Ese es tu primer error.

Pasa un dedo por el borde superior.

—Tengo la sensación de que hace rato que he cometido ya el primer error. —Bebe un trago—. ¿Tú no bebes?

—Ya me noto borracho.

—Vamos, ponte al nivel.

Me tiende su vaso y bebo un poco. Noto el tequila amargo que le gusta ahora a Broodje mezclado con otro licor de sabor naranja.

—Sí. Con esto no tendrás resaca. Desde luego que no.

Marina se echa a reír y me toca el brazo.

—No voy a decirte lo fantástico que has estado esta noche. Probablemente ya estés harto de oírlo.

—¿Alguna vez se harta uno de oírlo?

Marina sonríe.

—No. —Aparta la mirada—. Sé lo que dije después de la función, pero por lo visto hoy están rompiéndose todas las normas... —Hace una pausa—. Así que, realmente, ¿tres semanas pueden cambiar tanto?

Marina es sexy, preciosa e inteligente. Y está equivocada. Tres semanas pueden cambiarlo todo. Lo sé, porque un día puede cambiarlo todo.

—Sí —le digo—. Pueden.

—Oh —responde con cierta sorpresa, un poco herida—. ¿Estás con alguien?

Esta noche, en ese escenario, creía que sí. Pero era un fantasma. Shakespeare está lleno de ellos.

—No —digo.

—Te he visto con esa mujer después de la función. No estaba segura.

Es Kate. La necesidad de verla parece urgente. Porque ahora tengo muy claro lo que quiero.

Me excuso ante Marina y busco por todo el piso, pero no hay ni rastro de Kate. Bajo a ver si la puerta sigue abierta. Lo está. Tropiezo de nuevo con la señora Van der Meer, que está paseando al perro.

—Lamento el ruido —le digo.

—No pasa nada —responde, y mira hacia el piso de arriba—. Antes celebrábamos unas fiestas locas aquí.

—¿Vivía usted aquí cuando era una casa ocupada? —pregunto, intentando conciliar a la *vrouw* de mediana edad con los jóvenes anarquistas a los que he visto en fotografías.

—Sí, claro. Conocía a tu padre.

—¿Cómo era por aquel entonces?

No sé por qué lo pregunto. Bram nunca fue el hueso duro de roer. Pero la respuesta de la señora Van der Meer me sorprende.

—Era un joven un poco melancólico —dice. Después, sus ojos recorren el piso, como si estuviera viéndolo allí—. Hasta que apareció esa madre tuya.

El perro tira de la correa y se van, dejándome allí ponderando cuánto sé y cuánto ignoro acerca de mis padres.

50

Suena el teléfono y estoy durmiendo.

Lo busco. Está junto a la almohada.

—Hola —farfullo.

—¡Willem! —exclama Yael casi sin aliento—. ¿Te he despertado?

—¿Mamá? —pregunto.

Espero a sentir el pánico habitual, pero no llega. Por el contrario, hay algo más, un residuo de algo bueno. Me froto los ojos y sigue ahí, flotando como la niebla: un sueño que estaba teniendo.

—He hablado con Mukesh y ha obrado su magia. Puede conseguirte un billete para el lunes, pero tenemos que reservarlo ahora. Esta vez compraremos uno abierto. Ven un año y luego ya decidirás qué haces.

Me siento confuso por la falta de sueño. La fiesta duró hasta las cuatro y me quedé dormido hacia las cinco. Ya había salido el sol. Poco a poco recuerdo la conversación que mantuve ayer con mi madre. La oferta que me hizo. Lo mucho que la deseaba. O pensaba que la deseaba. Hay cosas que no sabes que quieres hasta que han desaparecido. Hay otras que crees que quieres, pero no sabes que ya las tienes.

—Mamá —digo—. No voy a volver a India.

—¿No?

Percibo curiosidad en su voz y también decepción.

—Ese no es mi lugar.

—Tu lugar es donde yo esté.

Después de todo este tiempo es un alivio oírle decir eso. Pero no creo que sea cierto. Me siento agradecido de que haya convertido India en su hogar, pero no es donde yo debo estar.

«Hazlo a lo grande y vete a casa.»

—Voy a dedicarme a actuar, mamá —digo. Y lo siento así. La idea, el plan, se formó totalmente ayer noche, tal vez mucho antes. La urgencia por ver a Kate, que no vino a la fiesta, me recorre todo el cuerpo. Es una oportunidad que no voy a dejar que se me escurra entre los dedos. Lo necesito—. Voy a dedicarme a actuar —repito—. Porque soy actor.

Yael se echa a reír.

—Por supuesto que lo eres. Lo llevas en la sangre, igual que Olga.

El nombre me resulta familiar.

—¿Te refieres a Olga Szabo?

Hay una pausa y noto su sorpresa a través de la línea.

—¿Saba te habló de ella?

—No, encontré las fotos en la buhardilla. Quería preguntarte por ellas, pero no lo hice porque he estado ocupado... —Hago una pausa—. Y porque nunca hablamos de estas cosas.

—No, nunca lo hemos hecho, ¿verdad?

—¿Quién era? ¿La novia de Saba?

—Era su hermana —responde.

Y debería sorprenderme, pero no es así. En absoluto. Es como si las piezas de un puzle empezaran a encajar.

—Debería haber sido tu tía abuela —continúa Yael—. Saba dijo siempre que era una gran actriz. Tenía que ir a Hollywood, pero estalló la guerra y no sobrevivió.

No sobrevivió. Solo lo hizo Saba.

—¿Szabo era su nombre artístico? —pregunto.

—No. Szabo era el apellido de Saba antes de que emigrara a Israel y lo hebraizara. Muchos europeos lo hicieron.

Para distanciarse, imagino. Lo entiendo. Aunque no podía distanciarse en realidad. Todas aquellas películas mudas que me llevaba a ver. Los fantasmas que mantenía a raya y cerca.

Olga Szabo, mi tía abuela. Hermana de mi abuelo, Oskar Szabo, que se convirtió en Oskar Shiloh, padre de Yael Shiloh, esposa de Bram de Ruiter, hermano de Daniel de Ruiter, que pronto será el padre de Abraão.

Y así, mi familia vuelve a crecer.

51

Cuando salgo de mi habitación, Broodje y Henk acaban de despertar y están contemplando las ruinas como generales del ejército que han perdido una gran batalla en tierra.

Broodje se vuelve hacia mí, con el rostro contraído en un gesto de disculpa.

—Lo siento. Puedo limpiarlo todo luego, pero prometimos reunirnos con W a las diez para ayudarle con el traslado y ya vamos tarde.

—Creo que voy a vomitar —dice Henk.

Broodje coge una botella de cerveza, dos tercios de la cual están llenos de colillas de cigarrillo.

—Puedes vomitar luego —dice—. Le hicimos una promesa a W. —Broodje me mira—. Y a Willy. Limpiaré el piso después. Y el vómito de Henk, que por ahora no va a descorchar.

—No te preocupes —digo—. Ya lo limpiaré yo. ¡Lo arreglaré todo!

—No te lo tomes con tanta alegría —dice Henk con una mueca de dolor y tocándose las sienes.

Cojo las llaves de la encimera.

—Lo siento —digo, aunque no lo siento en absoluto, y me dirijo a la puerta.

—¿Adónde vas? —pregunta Broodje.

—¡A coger el volante!

Cuando estoy quitándole el candado a la bicicleta suena el teléfono. Es ella. Kate.

—Llevo una hora llamándote. Voy a tu hotel.

—A mi hotel, ¿eh? —dice. Puedo intuir su sonrisa.

—Me preocupaba que te fueras. Tengo una propuesta para ti.

—Bueno, es mejor hacerlas en persona. Pero no te muevas porque estoy de camino. Por eso te llamaba. ¿Estás en casa?

Pienso en el piso, en Broodje y Henk en calzoncillos, en el caos increíble. Ha salido el sol, y mucho, por primera vez en días. Le propongo que nos reunamos en el Sarphatipark.

—Al otro lado de la calle. Donde estuvimos ayer —le recuerdo.

—¿La propuesta ha denigrado de un hotel a un parque, Willem? —bromea—. No sé si sentirme halagada o insultada.

—Sí, yo tampoco.

Voy directo al parque y espero en un banco situado cerca del foso de arena. Un niño y una niña comentan sus planes para construir un fuerte.

—¿Puede tener cien torres? —pregunta el niño.

—Creo que es mejor veinte —dice la niña.

—¿Podemos vivir allí para siempre? —añade el niño.

La niña mira al cielo unos instantes y dice:

—Hasta que llueva.

Cuando aparece Kate han realizado importantes progresos y han cavado un foso y levantado dos torres.

—Siento haber tardado tanto —dice Kate sin aliento—. Me he perdido. Esta ciudad tuya está trazada en círculos.

Le hablo de los canales concéntricos y le explico que el Ceintuurbaan es un cinturón que rodea el centro de la ciudad, pero me interrumpe.

—No te molestes. Soy un caso perdido. —Se sienta a mi lado—. ¿Has recibido noticias de Frau Directeur?

—Silencio absoluto.

—No suena nada halagüeño.

Me encojo de hombros.

—Tal vez. Yo no puedo hacer nada. De todos modos, tengo un nuevo plan.

—¿Ah, sí? —dice Kate, agrandando sus ya voluminosos ojos verdes—. ¿En serio?

—Sí. En realidad, de eso trata mi propuesta.

—La trama se complica.

—¿Qué?

Kate sacude la cabeza.

—Da igual. —Cruza las piernas y se inclina hacia mí—. Estoy lista. Hazme esa propuesta.

Le cojo la mano.

—Quiero... —hago una pausa— que seas mi directora.

—¿Eso no es como darse un apretón de manos después de hacer el amor? —pregunta.

—Lo que ocurrió ayer noche —empiezo— fue gracias a ti. Y quiero trabajar contigo. Quiero estudiar con Ruckus, ser aprendiz.

Kate entrecierra los ojos y sonríe.

—¿Cómo te has enterado de nuestros cursos?

—Debo de haber consultado vuestra página web centenares de veces. Y sé que trabajáis sobre todo con estadounidenses, pero me crie hablando inglés, actúo en inglés. La mayoría del tiempo sueño en inglés. Quiero interpretar a Shakespeare en inglés. Quiero hacerlo. Contigo.

La sonrisa ha desaparecido del rostro de Kate.

—No sería como ayer noche, Orlando en un gran escenario. Nuestros aprendices hacen de todo. Construyen decorados. Trabajan en aspectos técnicos. Estudian. Actúan como secundarios. No digo que algún día no vayas a tener un papel protagonista. No lo descartaría después de lo de ayer noche, pero llevaría su tiempo. Y hay cuestiones de visado a tener en cuenta, por no hablar del sindicato, y no podrías llegar esperando ser el centro de atención. Le he dicho a David que tiene que conocerte.

Miro a Kate y estoy a punto de decir que no esperaba eso, que seré paciente, que sé construir cosas. Pero no lo hago, porque me doy cuenta de que no necesito convencerla de nada.

—¿Dónde crees que estaba ayer por la noche? —pregunta—. Estaba esperando a que David volviera de ver *Medea* para poder hablarle de ti. Luego lo organicé todo para que pudiera meter el trasero en un avión y viniera a verte esta noche antes de que vuelva ese inválido. Está de camino y, de hecho, tengo que ir pronto al aeropuerto a recogerle. Después de tantas molestias, será mejor que te den el papel otra vez. De lo contrario, tendrás que interpretarlo en solitario delante de él. —Se echa a reír—. Es broma. Pero Ruckus es una empresa pequeña, así que tomamos este tipo de decisiones en común. También debes estar preparado para eso, para lo disfuncionalmente codependientes que somos. —Levanta los brazos—. Pero todas las familias son así.

—Un momento. ¿Ibas a pedírmelo?

Reaparece la sonrisa.

—¿Es que acaso lo dudabas? Pero me satisface muchísimo que lo hayas hecho tú, Willem. Demuestra que has prestado atención, que es lo que busca un director en un actor. —Se toca la sien—. Es muy inteligente por tu parte trasladarte a Estados Unidos. Es bueno para tu carrera, pero también es el lugar de origen de Lulú.

Pienso en la carta de Tor, pero hoy el arrepentimiento y la recriminación han desaparecido. Ella me buscó. Yo la busqué a ella. Y ayer noche, de un modo extraño, nos encontramos.

—Ese no es el motivo por el que quiero ir —le digo a Kate.

Sonríe.

—Lo sé, estaba bromeando. Pero pienso que le cogerás cariño a Brooklyn. Tiene mucho en común con Ámsterdam: los edificios de arenisca y las casas adosadas, la adorable tolerancia hacia la excentricidad. Creo que te sentirás como en casa.

Al decir eso me invade un sentimiento. De calma, de descanso, como si todos los relojes del mundo enmudecieran.

En casa.

52

Pero es la casa de Daniel. Un caos.

Cuando vuelvo, los chicos se han ido y hay porquería por todas partes. Recuerda a cómo la describía Bram en los viejos tiempos, antes de que llegara Yael e impusiera su estilo ordenado.

Hay botellas, ceniceros, bandejas y cajas de pizza, y todos los platos parecen sucios y fuera de su sitio. Toda la casa huele a tabaco. Desde luego no es un lugar en el que debiera vivir un bebé. Me quedo paralizado momentáneamente, sin saber por dónde empezar.

Pongo un CD de Adam Wilde, ese cantautor que fuimos a ver Max y yo hace unas semanas, y empiezo a trabajar. Vacío las botellas de cerveza y de vino y las guardo en una caja para reciclarlas. Vacío también los ceniceros y los lavo. Aunque ahora hay friegaplatos, lavo los platos sucios con agua y jabón y los seco. Abro las ventanas para que se ventile y entran la luz del sol y aire fresco.

A mediodía he recogido las botellas, tirado las colillas, lavado y secado los platos, limpiado el polvo y pasado la aspiradora. Está tan limpio como en su mejor día con Daniel, aunque cuando llegue con Abraão y Fabiola estará inmaculado. Listo.

Preparo café. Consulto el teléfono para ver si he recibido noticias de Linus, pero está en mi cama, muerto. Lo pongo a cargar y dejo el café en la estantería. El sobre sigue ahí con las fotos de Yael, Bram, Saba, Olga y yo. Paso el dedo por el pliegue y noto el peso de la historia en su interior. Vaya donde vaya, vendrán conmigo.

Miro el teléfono. Sigue muerto, pero pronto sabré algo de Linus y Petra. Parte de mí cree que debo ser despedido. Tiene que ser el precio por el triunfo de la víspera, y está bien, porque es un precio que estoy dispuesto a pagar. Pero otra parte de mí está perdiendo la fe en que la ley del equilibrio universal funcione de ese modo.

Vuelvo al salón. El CD de Adam Wilde ha sonado repetidas veces y empiezo a conocer tanto las canciones que sé que podré oírlas cuando no esté escuchándolas.

Observo la estancia. Ahueco los cojines y me tumbo en el sofá. Debería estar intrigado, esperando noticias para esta noche, pero siento lo contrario. Es como ese momento de pausa cuando salgo de una estación de trenes o autobuses o un aeropuerto y me adentro en una nueva ciudad y todo son posibilidades.

A través de la ventana abierta se cuelan los ruidos disonantes de la ciudad —campanillas de tranvía, timbres de bicicleta y algún que otro avión rugiendo en las alturas—, que se mezclan con la música y me adormezco.

Por tercera vez en lo que va de día me despierta un teléfono. Como esta mañana cuando llamó Yael, tengo esa sensación de estar en otro lugar, en un lugar adecuado.

Deja de sonar, pero sé que debe de ser Linus. Mi destino, como dijo Marina. Pero no lo es; llama para hablar de esta noche. El destino está en mis manos.

Voy a mi habitación y cojo el teléfono. Por la ventana, trepando por las nubes, distingo la panza azul y blanca de un avión de KLM. Me imagino despegando de Ámsterdam, sobrevolando el mar del Norte, Inglaterra e Irlanda, Islandia y Groenlandia, Terranova y la Costa Este, y aterrizando en Nueva York. Noto el tirón, oigo los neumáticos derrapando sobre la pista y la explosión de aplausos de los pasajeros. Porque todos estamos muy agradecidos de haber llegado por fin.

Miro el teléfono. Está lleno de felicitaciones por lo de ayer noche y un mensaje de voz de Linus. «Willem, llámame lo antes posible, por favor», dice.

Respiro hondo y me preparo para lo que pueda decir. En realidad no importa. He hecho las cosas a lo grande y ahora me voy a casa.

Justo cuando responde Linus llaman tenuemente a la puerta.

—¿Hola? ¿Hola?... —dice la voz de Linus.

Llaman de nuevo, más fuerte en esta ocasión. ¿Kate? ¿Broodje? Le digo a Linus que volveré a llamarle y cuelgo. Abro la puerta. Una vez más, el tiempo se detiene.

Estoy estupefacto y no. Es tal como la recordaba. Y está completamente transformada. Es una desconocida. Y una persona a la que conozco. «La verdad y su contrario son dos caras de la misma moneda», oigo decir a Saba.

—Hola, Willem —dice—. Me llamo Allyson.

Allyson. Pronuncio su nombre mentalmente y reviso y actualizo un año entero de recuerdos, fantasías y conversaciones unilaterales. No se llama Lulú, sino Allyson. Es un nombre contundente. Un nombre sólido. Y, por alguna razón, un nombre que me resulta familiar. Todo en ella me resulta familiar. Es entonces cuando sé con qué estaba soñando esta mañana, quién estaba sentado junto a mí en ese avión todo este tiempo.

Allyson entra.

La puerta se cierra detrás de ella y, por un minuto, ellos también están con nosotros en la habitación. Yael y Bram, hace treinta años. Toda su historia se reproduce en mi cabeza, porque también es nuestra historia. Pero ahora me doy cuenta de que era una historia incompleta. Porque, por muchas veces que la contara, Bram nunca me explicó la parte importante, lo que sucedió durante esas tres primeras horas en el coche.

O tal vez lo hizo, pero sin palabras. Con sus acciones.

«Así que la besé, como había estado esperando todo este tiempo», diría mi otrora melancólico padre, siempre con asombro en su voz.

Creía que el asombro era por los accidentes, pero tal vez no era así. Puede que fuera por la mancha. Tres horas en un coche, con eso bastó. Y dos años después, allí estaba ella.

Puede que se sintiera abrumado, como yo lo estoy ahora, por esa misteriosa intersección en la que el amor se encuentra con la suerte, en la que el destino se encuentra con la voluntad. Porque había estado esperándola. Y allí estaba.

Así que la besó.

Beso a Allyson.

Completo la historia que nació antes que nosotros y, al hacerlo, empiezo una propia.

La doble felicidad. Ahora lo entiendo.

OTROS TÍTULOS
DE ESTA COLECCIÓN

Sobrevivo

Alex Morel

Se acerca la Navidad y Jane está en un avión camino a casa en Montclair, Nueva Jersey. Armada con un frasco de pastillas, Jane tiene un claro propósito: no llegar con vida a su destino. Para ella, la Navidad significa muerte: la Nochebuena le recuerda el suicidio de su padre, cuyo destino ella siempre ha sabido que compartirá. El permiso que le han concedido en el hospital mental donde lleva interna un año por fin le ha dado la ocasión que esperaba.

Pero cuando el avión encuentra una turbulencia, todo se funde a negro.

Jane despierta en medio de una tormenta de nieve en las montañas de Montana y pronto descubre que el único superviviente aparte de ella es Paul, su compañero de asiento. Juntos forman un lazo emocional que surge de la necesidad de permanecer unidos en tan inhóspito lugar. Y gracias a Paul, Jane, que pretendía acabar con su vida, hará lo que sea por sobrevivir.

SOBRENATURAL

Kiersten White

Evie por fin ha encontrado la vida normal que siempre había deseado. Sin embargo, se sorprende al descubrir que lo normal puede ser muy aburrido. Justo cuando empieza a añorar sus días en la Agencia Internacional de Contención de lo Paranormal, recibe una llamada para colaborar de nuevo con esta. Ansiosa por romper con la rutina, Evie accede.

Pero cuando una misión desastrosa cede paso a otra, comienza a preguntarse si ha tomado la decisión acertada. Y cuando su ex novio hada Reth aparece con revelaciones fatales sobre su pasado, ella descubre que hay una guerra entre las cortes de hadas que podría poner en jaque el mundo de lo sobrenatural. ¿Cuál es el premio de este juego? La propia Evie.

Multiverso

Leonardo Patrignani

¿Y si nuestra vida no fuera por un solo camino… sino por todos los posibles?

Según la teoría del Multiverso, existen infinitos mundos, al igual que infinitas son las probabilidades de nuestra existencia. Sin embargo, se supone que estas realidades no están en contacto las unas con las otras.

Alex vive en Milán. Jenny, en Melbourne. Sus vidas han estado unidas desde siempre por un diálogo telepático que se establece sin previo aviso mientras caen en un estado de inconsciencia. Cuando deciden encontrarse, descubren una realidad que cambiará por completo sus vidas, destruyendo la certeza sobre el mundo que habitan.